あなたの
1日を3時間増やす
「超整理術」

高嶋美里
Takashima Misato

角川フォレスタ

はじめに

9割の人は仕事に追われている

数多くある書籍の中で、本書を手に取っていただきありがとうございます。
この本を手に取っていただいたあなたは、

「仕事が全然終わらず、毎日残業続きだ……」
「会社が忙しすぎて、プライベートの時間がない……」
「時間の使い方が下手で、気がつくといつも時間に追われている……」
「あらゆるムダをなくし、要領のいい生き方をしたい……」
「自由な時間があれば、習い事でもしたいなぁ……」

こんなことを感じて、日々悩んでいらっしゃるかもしれません。
そうであれば、間違いなく本書があなたのお役に立てるでしょう。

立ち読みでもいいので、このまま読み進めてみてください。

世の中には時間に追われあくせく生きている人がいる一方で、スマートに仕事をこなし、プライベートも充実している人がいます。

しかも、前者は毎日残業で忙しいにもかかわらず生活が苦しい状態が続くのに、後者は自由な時間がありながら仕事でもどんどん成果を出して収入を伸ばすのです。

一体、この両者の「差」は何なのでしょうか？

生まれながらにして、埋める事のできない圧倒的な能力の差があるのでしょうか？

いいえ、全くそんなことはありません。

この両者の「差」は能力の差ではなく、ほんのちょっとした所にあるのです。

うまくいく人が必ず持っている力とは？

私は早稲田大学を卒業後、有名予備校の講師として3000人を超える生徒に指導をしてきました。そして、現在はITスキルを指導するスクールを運営し、こちらでも8000人以上を指導しております。

延べ1万人以上の生徒を注意深く観察した結果、何事もうまくいく生徒にはある共通点があることが見えたのです。

それが、本書のタイトルにある**「超整理術」**につながっています。

うまくいく生徒は、自分の机、持ち物、スケジュールなど、あらゆるものの整理が行き届いているのです。そして、成績優秀な彼らを追跡調査したところ、社会に出ても仕事で成果を出し続けていることがわかりました。

なぜ整理上手だと仕事に好影響をもたらすのか？

それは、**整理ができていると様々なことが効率化され、結果多くの余剰時間を生み出すことができる**からです。

たとえば、ごくごく身近な例で言いますと、会社の資料。

上司に「あの資料あるか？」と言われた時に、なかなか見つからず引き出しを次から次へとあさっているようなことがあると、時間を浪費してしまいます。あなたも思い当たる節があるのではないでしょうか。これが**本書の手法を使うことにより、一瞬で資料を見つけることが可能になる**のです。

先ほど、スマートに仕事をこなしながら成果もしっかり出す方がいるというお話をしました。彼らは、仕事に追われるようなことはありません。それは、人よりも時間を生み出すことができるために、余裕を持って仕事に取り組んでいるからなのです。

さらに時間に余裕があるので、仕事も丁寧かつ確実にこなすことができます。

残業をしている人は、一見がんばっているように見えますが、その仕事の質をよく観察してみると、低いことが非常に多いのです。

忙しいから仕事の質が落ち、質が落ちるから時間を要し残業する。**完全に負のスパイラル**ですね。これでは両者の結果に差が生まれるのは歴然です。


ここでまとめましょう。

1 成果を出す人というのは、あらゆる点で整理が行き届いている
2 そのため、多くの時間を生み出すことに成功している
3 そして、時間がある故に余裕が生まれ、あくせくせずに質の高い仕事ができる

こういうことです。

「整理」ということが、どれだけ重要なのかがおわかりいただけましたでしょうか。

「超整理術」はあなたも簡単に実践できる

ただ、もしかしたら「小さい頃から整理整頓が苦手だから、自分にはそんなことはできない」とあなたは思っているかもしれません。

でも、大丈夫です。

どんなに整理が苦手な方でも、たった14日間で確実に、そして劇的に「整理する力」が身に付くのが本書の「超整理術」です。順を追ってステップ・バイ・ステップで進んでいくうちに、14日後にはあらゆる整理が得意になり、その結果自由な時間を生み出すことが可能となります。

生み出すことができる時間は、最低でも1日あたり3時間。

今、あなたの毎日に3時間加わったら、どうでしょうか？

仕事にも余裕ができますし、自分のやりたいことに新たに取り組めるかもしれません。自己投資をすることによって、さらにスキルアップして収入を増やすことも可能でしょう。時間はあなたに多くの自由と選択肢をもたらします。

実際に私が「超整理術」を教えた学生は**成績がグングン上がって、志望校に合格**しています。また、サラリーマンは仕事の効率化が進み、**残業することなく成果を残す方が続出**しています。

本書では、

「身の回りの整理」
←
「情報の整理」
←
「頭の中の整理」

といった一連の流れに沿って、あなたの整理力を高めていきます。

とはいっても、難しく考える必要はありません。

あなたが行うのは、本書に書いてあることをそのまま実践するだけです。

もしかしたら簡単すぎて拍子抜けするかもしれません。

たった、**14日間で今の悩みが全て解決される**としたら、これほど素敵なことはないでしょう。

あなたの人生を大きく変える「超整理術」、ぜひ今日から取り組み始めてください。

高嶋美里

本書の目次

【整理を始める前に——本書をより有効活用していただくために大切なこと】

最終的に頭の整理までをたった2週間でやり終える上で、いくつかマストなアイテムやツールがあります。

この2週間は、決められたツール、アイテムを必ず使うようにしてください。

本書では、Googleが提供している無料のサービスを使い倒していきます。メールはGmail、クラウドサーバはGoogleドライブ、カレンダーはGoogleカレンダーというように、使うべきツールをGoogleに固定しています。他にも同じようなサービスがあるので、どれを選んでもいいですよ、というスタンスだと、徹底して2週間で頭を整理することが難しくなるからです。

紙の手帳を使っている方も、数多くいらっしゃると思いますが、この2週間は、スケジュールは紙の手帳ではなく、すべてGoogleカレンダーに書き込んでいく方法をとりましょう。

会社で指定されたクラウドサーバもあるかもしれませんが、この本の中の2週間レッスンでは、Googleドライブを使ってください。今まで使ったことがない方は抵抗があるかもしれませんが、**この前提をそろえておかないと、成果に大きな差が出てしまいます**。必ず、事前にＧｏｏｇｌｅのアカウントを取得しておいてください。

整理するためには、あれもこれもと複数のアイテム、ツールを使わず、一か所にまとめることが重要です。それがしやすいのが、Ｇｏｏｇｌｅが提供しているサービスだからです。

Ｇｏｏｇｌｅには、マイクロソフトの提供するワードやエクセルと同じような機能を持つ、Ｇｏｏｇｌｅドキュメント、スプレッドシートというものがあります。

本書での整理には、ワードもエクセルも一切使わずに、**Googleだけで仕事を完結させる方法**も述べています。これによってかなりの時間短縮が見込めますので、使い慣れたワードやエクセルを手放すことも、念頭に置いてください。

カレンダーと言ったらＧｏｏｇｌｅカレンダー、クラウドサーバと言ったらＧｏｏｇｌｅドライブ、メールと言ったら自分のメールアドレスをＧｍａｉｌに転送して受信します。

それでは、お待たせしました！　早速1日目のレッスンから入っていきます。

day 1日目 デスクの整理

デスクにあるものは何種類？

サラリーマンにとって、仕事をする場はオフィスの机ですよね。

整理を学ぶなら当然、まずはその仕事場のものの整理から始めなくてはなりません。

机の上が散らかっていて、自分の頭が整理されるわけはありません。

といっても、まだ頭の中までたどり着いていない段階では、意味も何も考えなくて大丈夫です。


まずは自分のデスク周りをよく見てください。何がありますか？

自分の机、引き出しの中のものをリストアップして、それらのうち日常的によく使うものだけを選んでください。

その際は同じようなものはひとつの種類としてまとめ、それが何種類あるか数えます。

同じようなもの、例えばペンが何本かあるなら「ペン」という種類でまとめます。付箋をいくつか使うなら色や形が違っていても「付箋」としてひとつ、スマホや手帳などひとつしかないものはそれだけで数えます。


さあ、何種類のものを持っているでしょうか？

おそらく、何十種類もの持ち物がデスク周りに集まっているのではないでしょうか。

これらに、**使用頻度の順位をつけてみてください。**毎日使うもの、数日に一度使うもの、週に一度程度使うもの、月に一度程度使うもの……。

一度も使っていないものは、もちろんその場で処分です。それから、同じものが複数ある場合は、この段階で気がつくはずですから、ひとつにしていきます。ホチキスが２つある、同じ用途のケーブル類が２つある、などわかれば、その場で減らせます。

必要なものは20種類だけ！

そして、ここからが皆さんにはちょっと難しいポイントですが、それらを**「20種類」**だけに絞り込んでいくのです。

えっ、20種類のものだけ……。それだけで仕事ができるの⁇

不安になるかもしれませんね。でも、よく考えてみてください。

20種類にまで絞り込むためには、使用頻度の低いものから手放さなくてはならないでしょう。ただ、月に一度しか使わないものまで、自分のデスクに必要でしょうか。

例えば、資料を綴じる穴あけパンチを使う仕事が、月に一度の集計作業のときだけだったら？　穴あけパンチは共有スペースに戻しておき、そこから使う際に取り出せばいいのではないでしょうか。

私が予備校で生徒たちに整理方法を教えたとき、よく使う必要なものだけを挙げさせると、ほぼすべての生徒が20個前後に収まりました。

予備校生の話なので社会人と違って、勉強だけに専念すればいいし、あまりものを持っていないのでは？　とあなたは思うかもしれません。

でも、目的が勉強でも、仕事でも、趣味でも、**本当に必要なものを見極めれば、20個に収まるもの**です。身の回りに20種類以上のものがある状態は、人間が把握できる限界を超えているからです。

自分が把握できる以上にものを持っていると、ぱっと見渡してすぐに取り出せる状態にはなりません。

よく使うものはデスクに自分が座った際に、すぐに取り出せるように配置すべきですが、自分が把握できていなければ、それを探す動作が生まれてきます。物理的にもそれ以上ものがあれば、すぐ取り出せる位置にものの場所を確保できません。

こういったことから、厳しいようですが、本当に使う20種類に限定して、今デスク周りにある不要なものを整理してみてください。**これをするだけで1ヶ月後、予備校**

生の偏差値は平均で3も上がりました。あなたの仕事における評価も、よく使うものを20種類に絞るだけで、必ず上がるはずです。

ものは袖机にすべてしまう

さて、かなりのものが整理されたと思います。

次に、それらを全部机の上ではなく、デスクについている袖机の引き出しの中にしまってしまいましょう。

えーっ、それは無理！　だって、資料が入っているファイルケースがこんなに机に並んでいるんだもの……。

そう思った方には、次は**紙の書類を整理する作業**が必要になります。ただ、これは次の日に集中してやるので、とりあえず**袖机にしまう際の3つの分け方だけ守ってください。**

デスク周りのものは、大きく**3つ**に分けられます。

1つ目は文具類。ペンやホチキス、印鑑やクリップ、電卓など。
2つ目はスマホなど自分の私物。お茶を飲むときのパックや小腹がすいたときのお菓子、マッサージ器などを持っている人も多いと思いますが、それらも含まれます。
3つ目は書類関係。本や雑誌など、紙類はすべてここにまとめられます。

会社のデスクについている袖机は、それらをちょうど3種類入れられるよう、3段に分かれているはずです。

大きさも上が一番狭く、真ん中が少し深く、一番下が一番高さのある引き出しになっていて、3つの種類に対応しています。つまり、3つに分けた必要なものを、それぞれの引き出しにすべて収めてしまえばいいのです。

一番上の引き出しが文具類、真ん中の引き出しに私物、一番下の引き出しに書類関係、というわけです。

引き出しに収まらないほど量がある、というのはまだものが多い状態です。

文具マニアの方などは同じペン類でもいくつかバリエーションがあるかもしれませ

デスク周りのものは袖机の中にすべてしまう

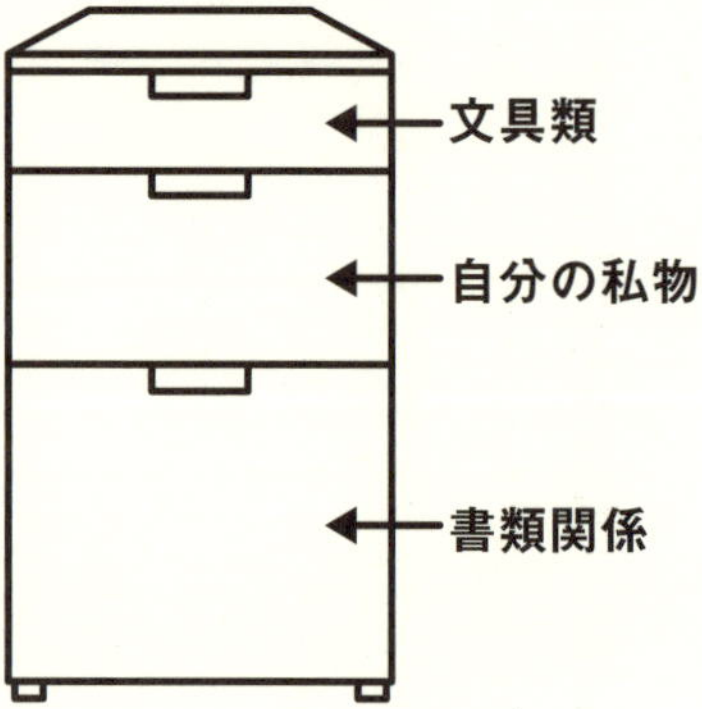

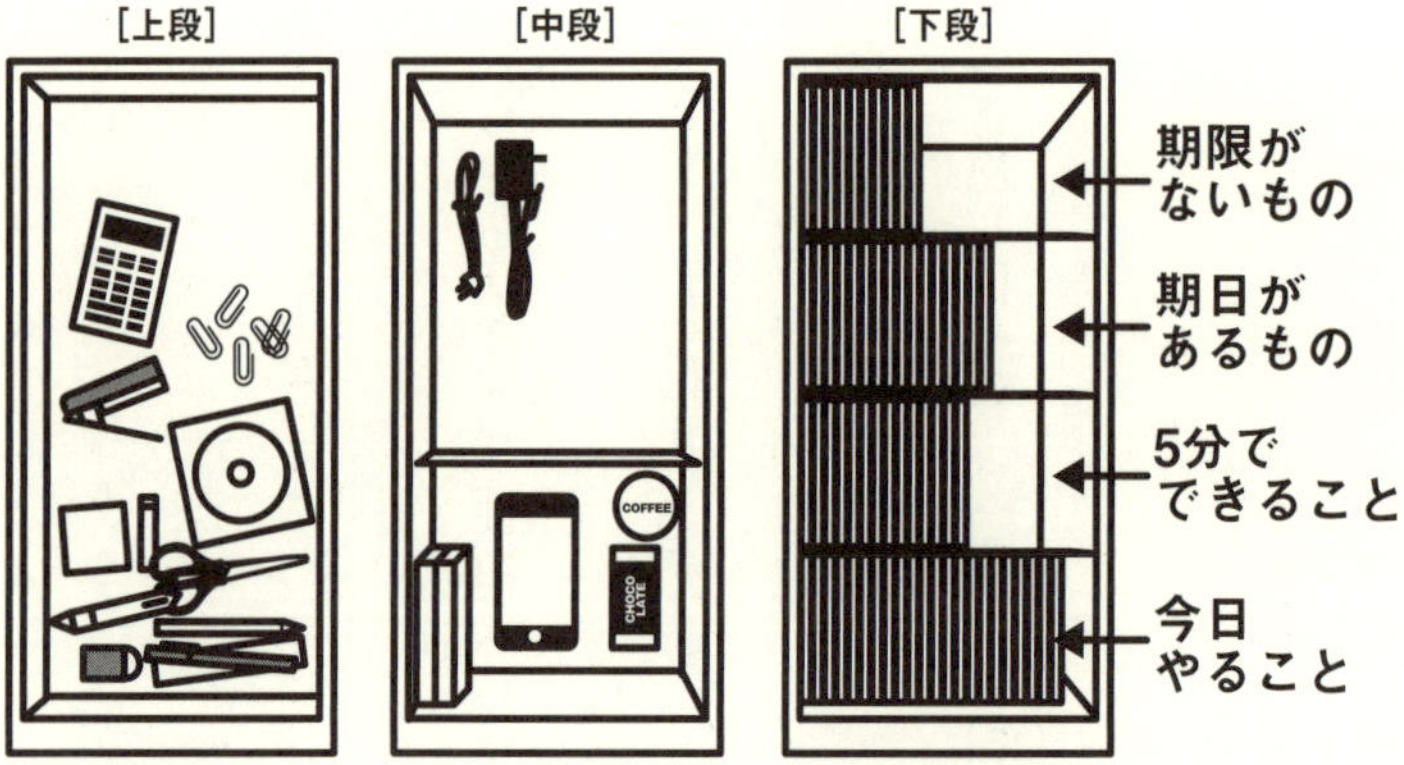

ペン
ホチキス
印鑑
クリップ
電卓
⋮

スマホ
ケーブル類
お茶
コーヒー
お菓子
⋮

4つの分類で
書類と分けて
入れる

んが、本当に自分が気に入ってよく使っているものだけをこの際選んでいきましょう。色のついたペンならそれぞれの色を1本だけ、付箋《ふせん》なら同じ大きさのものを1個だけ、といったように、用途ごとに厳選します。

選ぶ際に、インクが切れかけているものや使いにくい形状で無理に使っている、といったものがあれば、処分をしたり、交換して、すぐに使える状態のものだけを残すようにしましょう。

自分が「ここにある」とすぐわかるのが大事

引き出しにものをしまう際には、整然ときれいに並べようとする必要はありません。ここで大切なのは、**どこに何があるのか、自分がちゃんと把握できるようにする**ことです。

ですから、ぴったりパズルを組み合わせるように、収めなくてもいいのです。見た目がきれいになるように形をそろえたりする必要もありません。

見たときにわかりやすく、ものをどけなくてもすぐ取れるようになっていて、自分が「ここにこれがある」とわかるようになっていればそれでＯＫ。

人によっては引き出しを開けたときにぐちゃぐちゃに見える場合もあるかもしれません。でも、使う本人がすぐにそこからものを取り出せるようになっていて、戻すときにも迷わず定位置に戻せるなら、それが整理された状態です。

視覚的にぱっとわかることが大切ですから、きちんと収まっていても、何かに隠れていて存在がわからなくなっているものがあればダメです。

それから、定位置が動いてしまう状態になるのもよくありません。細かいものであれば、箱で仕切ったり、なくさないように透明な袋に入れておいて、その位置を決めておきます。

高価な整理用の文具を買う必要はありません。 透明な袋やファイルケースであれば、１００円ショップで同じものがそろえられます。

持ち運ぶセットを作っておこう

必要なものが引き出しの中にきちんと収まって、すぐ取り出せるようになっていても、実際に使う場面はデスクにいるときだけとは限りません。

会議や打ち合わせで外出するとき、ペンや手帳などをそのたびに取り出して、何かひとつ忘れて戻ったりしていませんか？

デスクでは一つひとつ取り出しやすくても、持っていくものを用意するときに別々のところからものを引っ張り出して、それが時間のロスになっていませんか？

自分の席以外の場所で何かをする際に、**いつも持っていくものというのは、ある程度決まっている**はずです。

打ち合わせで使うペン、ノート、見積もりが必要なら電卓、外出先でスケジュールを確認するなら手帳やスマホ……。そういったものをすぐにさっと取り出せるように、あらかじめセットを作ってしまっておけばいいでしょう。

例えば私の場合は、定期的にセミナーを開催しているので、セミナー用のセットを一式作って用意しています。

サイン用のマジック、アンケートに記入してもらうボールペン数本、テープ、ホチキス、何も書いていない白い紙、ネームプレート類、領収書、といったものをそこに入れています。

ちなみに、領収書にはすべて判を事前に押してあるので、当日会場で判子を取り出したり、押印する手間は一切ありません。

セミナー予定時間が近づけば、それをただ持っていくだけで、何も用意したり考える必要がありません。チェックリストで忘れ物をチェックしたりしなくても、忘れようがないわけです。この**用意しない環境を作り出すことが重要**です。

同じように、自分の用途に合わせて、デスクからどこかに持っていく頻度が高いものは、セットにしてすぐに取り出せるようにまとめておきましょう。

すぐ持ち出せるセットを作っておく

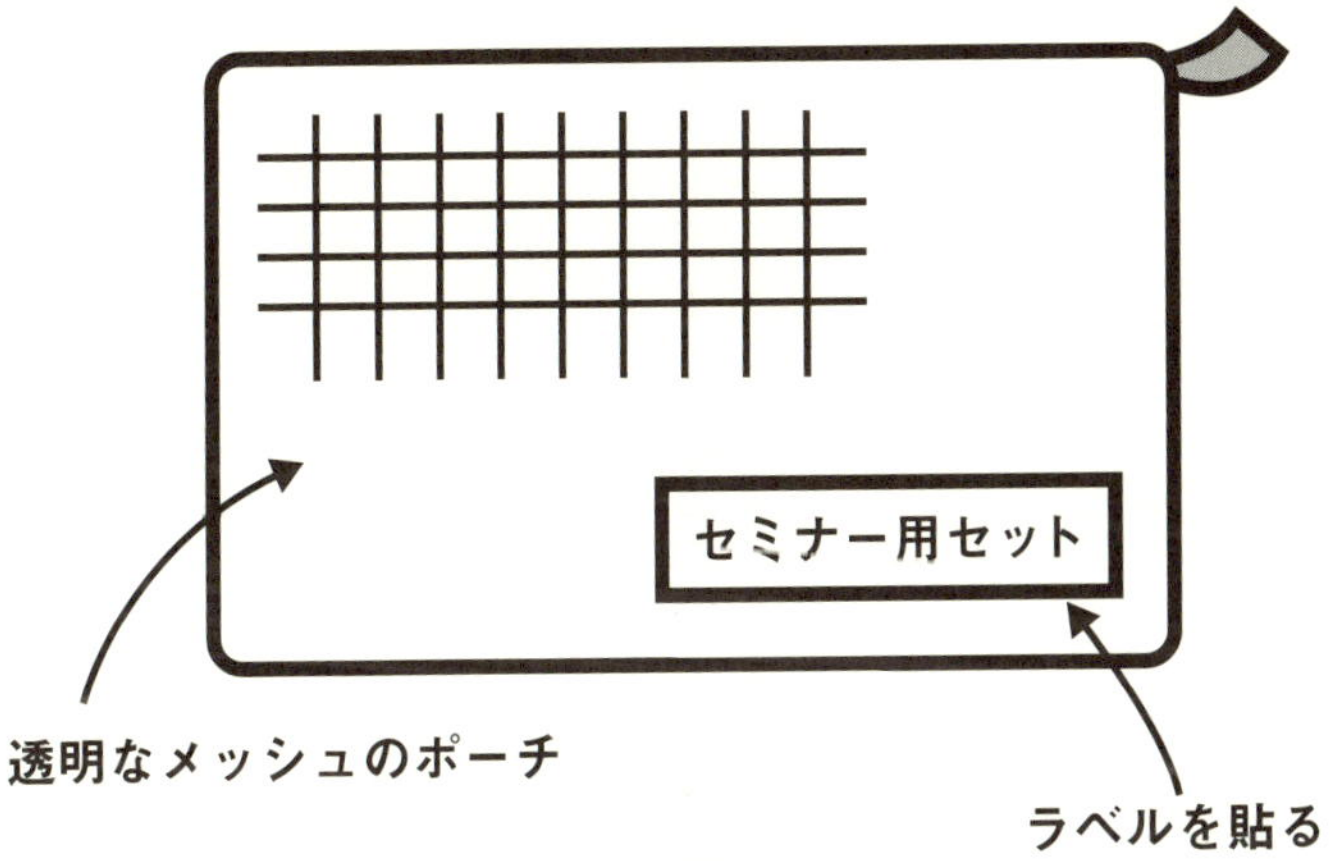

・サイン用マジック
・アンケート用ボールペン
・テープ
・ホチキス
・白い紙
・ネームプレート類
・領収書（押印済）

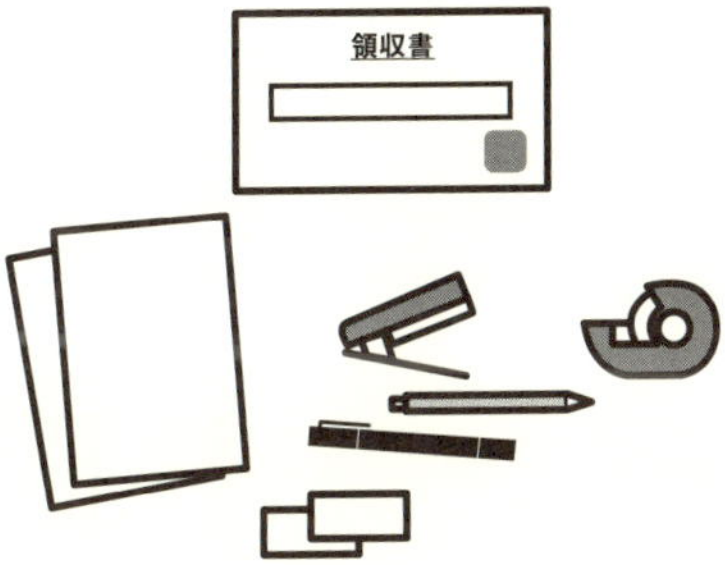

タブレットやノートパソコンを常時持ち歩く人なら、カバーや充電器類などもひとつのセットにしておけば、出先で「しまった！」となることもありません。

そのときのコツは、**一目で中身がわかるように、透明なポーチやケースに入れておくこと**。オススメは、100円ショップのメッシュの透明ポーチです。

サイズがいろいろあるので、自分の持ち物に合わせて選んで入れ、何のセットなのかラベルを作って貼っておくといいでしょう。

自分も他の人も迷わないのが基本

ここまでの整理で、ポイントとなるのは、まず**自分が迷わず作業をできる環境を作る**ということです。

人間は忘れてしまう生き物ですから、ケースやポーチなどは透明なもので中身がすぐわかるようにします。同じようなものが複数あればラベルをつけてそれが何なのか明示しておくのがいいのです。

この作業は、自分のデスク以外にも共有のものなど、やっておくと同僚や部署全体の人にも役に立ちます。

引き出しやケースに入れっぱなしになっていて、どこに何があるか開けてみないとわからない……という共有の文具など、**定位置を決めたら、全部の在り場所にラベルで名前を貼っておく**のです。

これで、自分も必要なときに一発でもののありかがわかりますし、自分以外の人が使って戻すときに迷わないので、別なところに紛れ込まなくなってきます。必要なときに出そうとしたら、なかった！ということも防げるわけです。

ラベルで名前を貼り出しても、ぱっと見たときに用語や漢字が並んで何なのかよくわからない……といったものであれば、写真や絵を描いて貼っておくのも手です。

例えばケーブル類で正式な名称はあるけど、簡単な絵で形がわかるように貼ってあればすぐわかる、というのであれば、絵にしておきます。

幼稚園や小学校など、小さな子どもの集まる場で、ブロックや折り紙などのものの種類ごとに絵を貼ってある引き出しがありますよね。ぱっと見てわかるから、子どもでも同じところに片づけられるのです。

絵を描いておけば一目瞭然

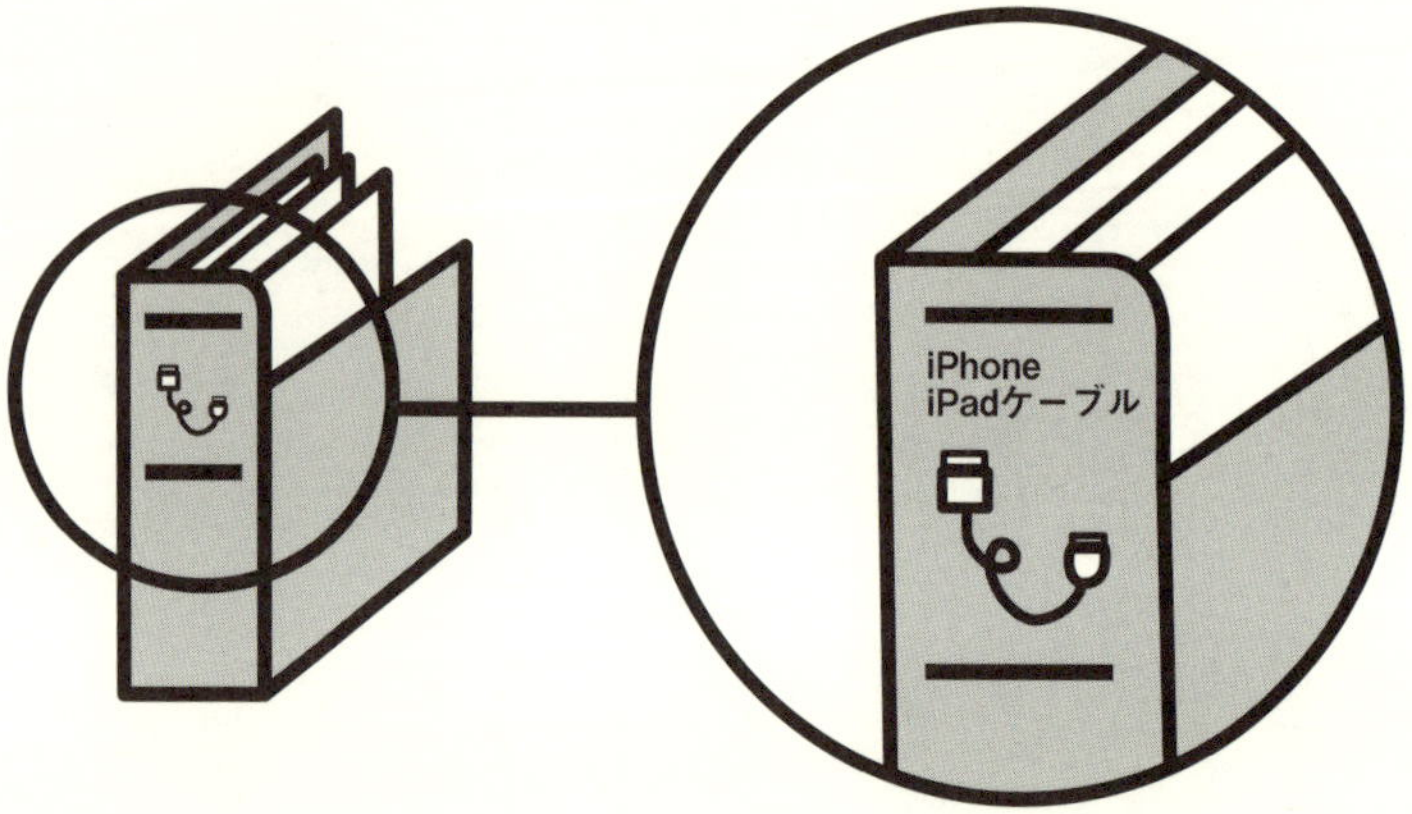

お道具箱の絵のとおりに子どもが片づけるのと同じ

大人といっても、誰でも迷わず、やりやすい方法にできるなら、子どもと同じような工夫をした方がいいのです。

とにかく、どこに何があるのかはっきりわかるようになっていて、迷わず取り出せ、迷わず戻せるという環境を、最初の1日目に作っておくこと。

些細なことに思えるかもしれませんが、これだけで日々の動作にかかっていた時間が、数分でも数十秒でも短縮できるわけです。**同じことを繰り返すデスクワークでは、このわずかな時間の差が日々積み重なって、大きな違いになります。**

ではここまでで、1日目のレッスンは終了です。

1日目から少しハードだったかもしれませんが、これを確実にやり遂げたなら、1日に30分節約できるようになりますよ。

29歳
年収
320万
毎日22時30分まで残業していたFくん。
机周りを片付けて
30分早く帰れる
ように!!
お陰で
仕事効率
大幅アップ!!

day

2日目

書類の分類

書類の分け方には基準がある

さあ、1日目で机の周りを片づけたので、すっきりしたデスクで仕事を始めましょうか。と言っても、仕事で使う書類関係はまだ整理していなかったはず……。そこで、2日目は**書類の整理**を徹底してやってしまいましょう。

私は自分の仕事をほとんどデータで確認したり、やり取りしているので、紙を使ってのデスクワーク自体があまりないのですが、一般の企業に勤めているサラリーマンの場合は書類ベースで仕事を行っていることが多いでしょう。

書類が仕事の内容を表しているとすると、その書類を分けるときの分類自体が、そのまま自分の仕事を整理することにつながります。

分け方はいろいろありますが、私は種類で分けたり、人や会社、案件などで分けるのはあまり意味がないと思っています。

では、何を基準にして分ければ効果的でしょうか？

正解は、**自分のやるべきスケジュールに従って分ける**というものです。

スケジュールごとに4つに整理する

自分のやるべき仕事をスケジュールに従って考えてみましょう。

まず、その日中にやらなくてはいけないことがありますよね。

それから、期日がある事柄が必ずあります。今週中に請求書を出すとか、○日までに会議資料の提出とか、月末には経費精算などといったことです。

一方で、期限が特に決まっていないけれど、やらなくてはならない、やっておいた方がいいこともあります。仕事の関連分野の市場状況を調べておく、扱っている商品が置いてある店舗を回って挨拶をする、などです。

また、5分程度でできそうな、ちょっとした細かい用件も意外と多くあります。次回の連絡会議の会議室を取っておこうとか、○○さんに契約書を送付とか、××サイトの会員登録をしておこうなど、どれもすぐにやればできる程度のことで、書類も何もなく、自分の頭の中に入っているような小さな仕事です。

業種や本人の役割はいろいろ違えど、**仕事というもの自体はだいたい、こうした4つに分けることができます。**

ということは、書類もその分類に従って分けなくてはいけません。

ここで、もう一度4つの分類を書き出してみると……。

1　今日やること

2　5分でできること

3　期日があること

4　期限がないこと

この4つの分け方に合わせて、ファイルケースを用意してみてください。

ケースにラベルを貼り、1から順に手前から並べます。

そして、持っている書類をこの4つのどれかに入れていきましょう。

「今日やること」ケースを毎日空にする

「今日やること」のファイルケースに入っている書類については、文字通り今日中にどんどんやっていきます。

その日に受注した商品の注文書、チェックする申請書など、必ず今日中にやるべきことはここにあるようになっています。

1日が終わったら、ここにあった書類はすべて処理するわけですから、提出済みでなくなるか、あとで説明するようにデータ化して、紙は処分してしまいます。そうすると、このケースの中は空っぽになるはずです。

逆に言えば、**この中が空っぽになるまではその日は帰ることができません。**どっさり書類が入っていたら、その日にやるべきことをどれだけスピードアップしなければ間に合わないか、ざっと見てわかりますね。

ファイルケースの中に入ってさえいれば、入れる順番はどうなっていてもかまいません。

その日に仕事をしていて、今日中の案件が来たら、何も考えずにこのケースに書類を突っ込むだけです。どっちみち、今日中にその作業はやらなくてはいけないのですから、**順番も何も気にする必要はありません。**

また、今日中とははっきりわかっていなくても、急ぎの仕事や返事が必要なものは、基本的にすべてこの「今日やること」に入れて片づけること。その意識を徹底して持つようにしましょう。

「期日があること」は期日まで忘れる

次に、「期日があること」のケースに入れる書類ですが、ここに入れているものは、今日は気にしなくて大丈夫です。

そのかわり、**それをやる日時をGoogleカレンダーに必ず書き込んでおき**、やるべきときが来たら確実に処理します。

処理してしまったら、書類を提出、または送付していれば手元から自動的に消えているはずです。そうした用件以外は、仕事が済み次第、書類は捨ててしまうか、残しておくべき内容だったらデータ化します。

いずれにしろ、期日が過ぎたら、その書類はなくなるはずなので、常にこのファイルケース内も必要以上に書類が増えることはありません。

「今日やること」と違って、このケースの中は「○日に処理」「×日に必ずチェック」など、期日がわかるようにファイルに付箋をつけておくといいでしょう。そうしておけば、必要なものがすぐに取り出せるからです。

それ以外は、今週中、月末までといった期限ごとにさらに仕切りを入れていったり、日付順に並べ替えたり、といった工夫はしなくても大丈夫です。

ここに書類を入れる際には、Ｇｏｏｇｌｅカレンダーに処理するための予定を事前に入れるわけですから、その予定の日になれば思い出せばいいことであり、それまでは完全に忘れていてもかまいません。この、**完全に忘れるという点がかなり重要なポイント**ですので、覚えておいてください。

いちいち、先の期限の用事を覚えていようとしていると、細々とした記憶が邪魔になって、頭が整理されていない状態になります。それを防ぐために、ファイルケースに分けて、Ｇｏｏｇｌｅカレンダーに記入しているわけです。

それに、並べ替えたり、さらに分ける項目を増やしていると作業が煩雑になり、余計な時間がかかり、非常にムダです。

また、処理する予定を入れる際のポイントですが、「5日までに提出の企画書」であれば、その前々日、つまり「3日にやること」と設定して入れておきましょう。

そう、ここで考える締切り期日とは上司や取引先などから言われている実際の期日ではなくて、**自分で設定する期日**のことです。

そして自分で設定する期日は、本来の締め切りの少なくとも2日以上前にして下さい。そうすれば、自分の決めた期日に企画書を作成してみて、翌日に修正して、さらに当日提出する30分前には見直して……といった行動が取れます。そのためには、3日前に処理する時間を確保、2日前や前日に、見直す時間を別途確保する必要があります。

それによって、ぎりぎりに作成した企画書よりもミスがなく、完成度も高いものを提出できるというわけです。そうした習慣を続けていれば、当然上司や取引先の評価は自然と高まっていくのがわかりますよね。

「期限がないこと」はまとめておけばOK

特に期限がなく、いつでもいい案件、急ぎではない用件は、すべて「期限がないもの」というケース行きです。

何かしら期限があるものは、すぐやるか、「今日やること」に入れるか、Ｇｏｏｇｌｅカレンダーに予定を記入してから「期限があること」ケースに入れますから、ここではそれ以外のものすべてをまとめてしまってかまいません。

日々やってきた書類、案件は、この基準でどんどんどれかのファイルケースに入れていくように、その場で判断していきます。迷ったり、とりあえず机の上に積んでおいてはいけません。

「その場で」「すぐやる」、そのクセをつけていけば、書類がたまっていくのを防ぐことができます。たまった書類をさらに４つのケースに分ける作業は、この２日目のレッスンで一気にすべてやってしまいましょう。

一度書類を４つに分けてしまえば、あとは毎日機械的にどれかのファイルケースに放り込むだけで、いちいち整理する時間をとらなくても大丈夫です。最初に仕分けをするのは１日がかりかもしれませんが、その後は毎日書類に埋もれなくてもすっきりした机で作業ができるでしょう。

さて、特に期限の決まっていない書類はただ放り込んだままだと、いずれパンパンになってきますよね。

もちろん、その場で判断していらないものは極力その場で捨てたり、データ化することが大切ですが、それでもある程度の期間でそのケースの書類はたまっていくでしょう。

そこで、**3ヶ月に一度、半日以上のまとまった時間をとって、そのファイルケース内の書類を整理する予定**を組んでおきます。Googleカレンダーに3ヶ月後の予定を入れておきましょう。

そのときまでは、そこにある書類はどんどんためていって大丈夫。入れる順番も気にしなくていいので、そこに入れると判断したら、ただ何も考えずに種類も用途も気にせずまとめておきます。

「5分でできること」リストを作っておこう

最後に、2番目の「5分でできること」のケースに入れるものを説明しましょう。

これは、あまりにちょっとしたことなので、関連する書類がないことも多いでしょう。

書類や資料があれば、例えば送付する契約書や返送する申込書など、当然ここに入れておけばOKですが、紙自体がないようなものは、すべて用件をリストアップして書き出してみます。

ちょっとしたことなので、いちいち用件を書いていないけれど、すべて書き出したら何十個にもなるはずです。

「5分でできること」としていますが、ここでの意味合いは「数分でできるちょっとしたこと」なので、実際には1～2分でできることから、15分くらいでできることまで幅があります。

それらをすべて書き出したら、**それを書いたリストの紙も1枚、このファイルケースの先頭に入れておきましょう。**

紙をなるべく減らしましょう、と言っているわりに1枚紙を増やしているわけですが（笑）、これには理由があります。ここを見たら、「隙間時間にできるちょっとしたこと」がすべてわかる定位置を決めておくためです。

よく手帳のＴｏＤｏリストに書き込んだり、机の上やパソコンモニターの横に付箋でちょっとしたやることを貼り出していたりしますが、ちょこちょこ出てきた用件をいろんなところに書き出して、まとまっていないことがあります。

そうすると、手帳を見たり、付箋を見たり、スマホやパソコンをチェックしたり、いろんなところを参照しなくてはなりません。それでは時間のムダですし、モレも出てきます。

また、あまりにちょっとしたことなので覚えているから大丈夫、と書き出していないと、前にも書いたように**頭の中に邪魔なゴミ**がたまって整理されず、クリアな状態になりません。

書き出しておけば、どんなにちょっとしたことでも**すべて忘れてしまえばいいのです**。何もかも覚えておく必要はありません。**いかに忘れられるかが頭をクリアにする秘訣**になります。そして、空いた時間にはすかさず「5分でできること」リストを見て、順番にそれを処理していきます。ぱっと見て、考えずに数分でやるだけです。

それまではその件を覚えておくのはムダと言うより、頭の整理のためにはやってはいけないことです。書き出して、すぐに忘れましょう。

「5分でできること」は隙間時間にどんどんやる

「5分でできること」リストで書き出すのは、やればすぐできるけれど今日中でなくてもいいもの、30分以上時間がかかるもの以外の用件です。

今日中にやることはリストに書かず今日やるファイルに入れましょう。また、**リストに書くよりもやってしまった方が早いことは、その場でどんどんやってしまいます。**

なので、ここに残るものはある程度、数日〜1ヶ月程度置いても大丈夫な用件が並ぶはずです。

例えば、○○さんに契約書送付、病院に予防接種の予約を入れる、○○さんを食事に誘う、××についての本を書店で探す、といった感じで、緊急性はないけれどやっておきたい、すぐできるけど面倒なので後まわしにしがちなことになります。

重要度が高いものはすぐやることが前提ですが、この中でも、ある程度重要度に差がありますので、リスト化するときには重要度を「高」「中」「低」など、ぱっと見てわかるようにその横に入れておくといいでしょう。

期日がわかっているものは、その横に日付も入れておきます。例えば、「次回の連絡会議の会議室を予約する」といったことは、予約の期日を書いておきます。「11月中に会員登録すると3割引」といった用件なら、これも期日を指定しておけます。

用件自体は、発生した順にどんどん書き出せばいいので、期日ごとに整理しなくて大丈夫です。だいたい、紙に書き出しているので、期日順に並び替えたりできないですよね。

その横に、重要度と日付がわかるように書かれていれば、見たときにやる順番を決める手がかりになります。基本は上から順番にどんどん処理していくのですが、すべてをその日にやってしまうことができない場合は、重要度が高いものや期日が迫っているものを優先して処理するようにするのです。

そして、終わったものは線を引くなどして分かるようにしておきましょう。

「5分でできること」リスト

	重要度	期日
・○○さんに契約書送付	高	
~~・予防接種の予約~~		
・△△さんを食事に誘う	中	
・「××」についての本を探す	高	
・連絡会議の会議室予約		3/16
・今月中に○○に会員登録	低	3/31
⋮		

注意したいのは、期日がある場合で30分以上かかりそうな用件は、このリストではなく、必ず「期日があること」ケースに入れて、Ｇｏｏｇｌｅカレンダーに処理する予定を入れておくことです。

30分以下の用件は細かすぎてカレンダーに入れられませんが、そのままでは埋もれてしまいます。それを防ぐためにリスト化するわけですが、**処理する時間はいちいち決めずに隙間時間を活用すればいい**のです。

毎日の隙間時間に、このリストをどんどん処理して、できなかったものは翌日に繰り越していきますが、次第に処理するスピードを上げていけるようにしましょう。

ここまでで、２日目のレッスンは終了です。デスク周りの整理が、ひと通り終わったので、明日から仕事効率が格段にアップしますよ。

今日やること
期日があること
Fくん、やるべき事が明確になり、
毎日30分の時間短縮。
21時30分には
帰れるようになり
うっかりミスも
なくなって
なんと表彰。
やった!!
報奨金
1万円ゲット!!

day

3

3日目

紙のデータ化

書類はデータで保存しよう

さて、2日目で書類の整理の方法を学んだので、これでデスク周りもすっきり……となるはずですが、実際にはまだ、すんなりすっきりしている人は少ないと思います。

なぜかと言うと、4つのファイルケースに書類が入りきらない！というほど、たくさんの書類、雑誌、本などを持っている場合が多いからです。

でも、今の時代はパソコンで仕事をするのが当たり前。紙を持っていなくてもすべてデータになっていれば大丈夫なのです。むしろ、**稼げる人、仕事ができる人ほどこのデータ化に対する意識が強い**傾向にあります。

もちろん、提出しなければならない申請書、や見積書など、一定の紙類はまだあると思います。けれどもそれらは、提出したら手元にはなくなります。

問題は会議のレジュメや資料、取引先からのパンフレット類、上司や部下、外から送られてくる確認用の書類、自分があとで参照しようと思っていることが書かれた雑誌などを含む資料類、会議や打ち合わせで使用したときにメモしておいたことが書かれた紙類など、手元に残しておくべきと思い込んでいるけれど、**本当はいらない紙**の類《たぐい》です。

当然ですが、残しておかなくても大丈夫な書類は、すべて2日目までで捨ててしまいます。それでも、何らかの理由で残さなければならないものが、ケースに入りきらないほどあるのではないでしょうか。これは、本当は捨てていいはずの書類を捨てられずにいるからに他なりません。

ここでは、それらをすべてデータ化して、**バッサリ捨て去ること**を実践してみましょう。

名刺は全部捨ててもいい

まずは書類の前に、サラリーマンには必須の名刺を整理しましょう。

実は1日目で、「どこにしまうスペースがあるだろう?」とそのままになっていた人も多いのではないかと思います。

ファイルに収まる程度ならいいですが、営業など職種によっては大量の名刺がケースに入って大きくスペースを取り、文具を1段目の引き出しに入れると、しまう場所がなくなっているかもしれませんね。

でも、大丈夫です。

名刺は紙類ですから、すべてデータ化して、捨ててしまえばいいのです。

えっ、名刺をすべて捨ててしまうなんて⁉

と、思いましたか(笑)? 整理してから捨てるのではなくて、全部捨てるなんて大丈夫? と不安に思ったかもしれません。

でも、よく考えてみてください。名刺の役割は、会った人の連絡先などの情報が確認できること。**情報がわかれば、紙自体はなくても困らない**のです。

今は、名刺をそのまま読み取ってデータ化する、スキャナーやスマホのアプリがたくさんあります。読み取り機能を使えば、名刺情報がテキスト化され、検索することもできます。

紙の名刺をいちいち探さなくても、検索すれば連絡先が出てきますし、メールしようと思えばすぐできます。**どこからでもアクセスできるクラウド上**にデータがあれば、外出先からすぐ確認することもできます。紙のままにしておくより、よっぽど役に立ちますし、連絡先がわからなくなるなんてこともありません。

一度すべての名刺をデータ化してしまえば、あとは名刺をいただくたびにスキャナーやアプリで取り込めばいいだけですが、最初は大量の名刺を取り込むのが大変……というのであれば、まとめてデータ化してくれるサービスもあります。

データを確認したり修正するのが面倒、という人もいますが、どうせほとんどの名刺の相手は、たまにしか連絡しないものです。よく取引するような人だけ、Ｇｏｏｇｌｅのアドレス帳に正しいデータを登録しておけばＯＫです。

スマホで撮影するだけの簡単データ化作戦

紙の名刺をすべて捨ててしまったら、次はいよいよ書類を整理しましょう。

2日目で「期限がないこと」ファイルケースに分類したものは、3ヶ月おきくらいに定期的に整理しましょう、と書きました。一度整理しておけば3ヶ月後でいいのですが、最初はまだここに入るものも整理していない状態でしょうから、一気に整理・データ化しましょう。

まず、**パンフレット類は基本的に全部捨てます**。今は、ホームページを見ればたいてい同じことが載っていますし、必要なときがあればPDFなどのデータでもらえばいいだけです。

それ以外の書類は、あとで参照する必要があるもの、今後のネタとして使えるものなのか？　ぱっと見て判断して、それ以外だったらどんどん捨ててください。

そして残ったものだけ、データとして保存します。

紙をデータにするときは、ＰＤＦとしてスキャンする方法が一般的です。ただ、スキャンするのが面倒で、ついつい紙のまま残しているような人もけっこういます。すぐ使えるスキャナーが手近にないからと、とりあえず紙で残すこともあるでしょう。それなら、スキャンしなくてもいいんです。

今は誰でもスマホを持ち歩いているはずです。**そのスマホで、必要な部分だけパシャッと写メを撮るだけ**でＯＫ。

これなら、どこにいてもデータ化できますし、スキャンする手間もありません。

あとで参照する書類や資料も、すべてが必要なわけではないはずです。

必要な箇所だけを写メで撮って、クラウドサーバにアップする際、何の資料か、日付や使用目的などがわかるようにファイル名をつけておけば、それ以外はいちいち撮っておかなくてもかまいません。

昔は、社会人は毎朝新聞をチェックして、自分の関心があることや必要な情報があれば、記事を切り抜いてスクラップブックに貼ってまとめていました。

今の時代は、それをデジタルでできるということです。新聞をまるごと取って置く必要はなくて、必要な記事だけ切り抜いていたように、自分が必要だと思った箇所だけ画像データで切り取っておけばいいんです。

デジタルなら、紙を切ったり貼ったりする手間もなく、すぐにできます。昔より**ずっと時間が節約できる**のです。

重要なことだけスプレッドシートに記録する

さて、写メで画像データ化するのはその場ですぐにできて、時間がかからないのがいいところなのですが、画像なので検索ができないのがちょっと難点とも言えます。

データ化する目的は、物理的な紙自体を減らして身の回りがすっきりするのも大事ですが、あとですぐに必要な情報を検索して探すことができるのも、重要な目的です。

そこで、**本当に必要な事柄は、テキスト化して検索できるように保存**しておくようにしましょう。

私は自分がいつも参照するような大事な情報は、GoogleのサービスであるG

ｏｏｇｌｅドライブ上にスプレッドシートを作って、そこに入力しています。スプレッドシートとは、Ｅｘｃｅｌのような表計算のソフトと同じ使い方がウェブ上でできるものです。

サラリーマンなら、仕事でＥｘｃｅｌファイルをよく使いますよね。それと同じように、Ｇｏｏｇｌｅドライブでスプレッドシートを作り、**自分の必要な情報をカテゴリーごとに分けて**、シートを作っておきます。

あとは、そこにそのつど情報を入力しておくだけです。例えば、ソフトのシリアルナンバーを書いた紙があれば、シリアルナンバーを記録しておいて、紙は捨ててしまいます。

私の場合は、口座番号など金融関係の情報、運営しているサイトの会員情報、シリアルナンバー類、といったカテゴリーでシートに分けて保存してあります。

人によって、予算を管理するような立場だったら常に毎月の予算と実績だけとか、営業だったら取引先から送られてきた重要な連絡事項とか、社内の事務的な仕事だったら部署ごとの担当分けとか、大事な情報だけ３つ程度のタブにまとめて、記録しておけばいいでしょう。

特に重要な情報はここにある、とわかっていれば、そのファイルの中を検索するだけでいつでも情報が取り出せます。会議中でも外出先でもさっと参照できるので、必要になったときに紙を取り出すより、**使い勝手がいい**はずです。

コツは「その場で」「すぐ」整理すること

ここまでの紙の整理の方法をまとめると、

1 すぐ捨てる
2 スキャンか写メでデータ化
3 スプレッドシートに記録

このどれかの方法になります。
必ずどれかの方法で、紙の存在自体はなくしてしまいましょう。
そうすれば、余裕で引き出しの中に書類が収まるはずです。

「期限がないこと」として入れてある書類も、3ヶ月に一度はこのどれかでいっせいになくしてしまいます。このときは、半日程度予定を取っておけば、スプレッドシートに必要事項をまとめて記録することも可能です。

ただ、できればたまってから整理するのではなく、できるだけ書類を手にしたその場で、3つのうちどれかで処理するのが、書類を整理するコツです。

だんだん続けているうちに、その場で処理してしまった方があとで整理するよりずっと手間がかからない、ということが実感できると思います。それまではいったん「期限がないもの」ケースに書類を入れておくのもいいでしょう。

慣れてきたら、このケースにはそれほど紙類はたまらなくなるはずです。

そうなれば、整理する時間も節約できますし、その場で情報がすぐにアウトプットでき、**すぐ使える状態**になります。

ということは、どんどん情報を処理するスピードが上がって、いつでも活用できるようになり、**より仕事ができるようになる**ということです。

書類の整理ひとつで、できる人になる訓練が日々できるのですから、やらない手はありません。大量の紙でデスク周りがすっきりしない状態をなくすというのも大事ですが、サラリーマンにとっては情報を処理する能力をアップするという意味でも、日々書類の整理は必要でしょう。

それでは、これで3日目のレッスンは終わりです。

ここまでで、もう完全に机の周りのものは片づいたはずですね！

明日からは余計なものがない、見通しのよい状態の机で、スムーズに仕事を始められるでしょう。

Aグループ
Bグループ
Fくん、アイデアの元になるデータが整理された事で
どんどん新しい提案ができるようになり
チームリーダーに昇格!
月給も1万円アップ!!
やったー!

day 4日目

スケジュールへ落とし込む

Googleカレンダーで時間を整理する

3日目までで、目に見える仕事の環境はすっきり片づきましたが、実は身の回りを整理するときに一番大事なことがまだ残っています。

それは、**時間の整理**です。

2日目で書類を整理したときに、スケジュールに合わせて書類を4つに分けましたよね?

何かを分類するときは、いろいろな分け方がありますが、仕事に関してはスケジュールが一番のポイントになります。ですから、それに従って直接仕事にかかわる書類を分類するのがいいのです。

ただ、目に見える書類だけスケジュールで分けても、自分の頭の中がスケジュール分けされていないと、スムーズに動けません。

これを助けるのが、スケジュール表での管理です。手帳を愛用している人も多いですが、私はGoogleカレンダーをオススメしています。

メリットは、パソコンでもスマホでもすぐに確認できて、定期的なスケジュールもいちいち書き写さなくて済んだり、**予定をずらすのも簡単**なところです。

仕事で時間を取ることは、すべてこのカレンダーに必ず入力するようにしていきましょう。

そして、ここに**入力したら、あとはすっかり忘れてしまう**のです。自分の頭の中に何も残さなくて済むようにするのが、Googleカレンダーを使う一番の目的です。

カレンダーの意味は「時間割」

さて、Ｇｏｏｇｌｅカレンダーを使う目的は、実はもうひとつあります。

それは、やるべきことの時間を指定するということです。

「カレンダー」といえば、予定を入れるものだと思っていませんか？　それだけのためにカレンダーを使っているなら、いつまで経っても仕事ができる人にはなりません。Ｇｏｏｇｌｅカレンダーに入力するのは、30分以上の時間がかかるような、やるべきことすべてです。

つまり、カレンダーは予定を入れるというより、**やるべきことの時間の割り振りをしている時間割表**なのです。

昔学校に通っているときには、時間割に従ってやることが決まっていましたよね？　国語の時間、算数の時間と、決まった時間割に合わせてまったく別の勉強に切り替え、膨大な量の勉強を難なくこなしていました。時間割がなければ到底できなかったでしょう。

社会人には時間割がないので、自分で仕事の時間割をGoogleカレンダーで作ってしまいましょう。そしてその時間割に従って、黙って仕事をするのです。「企画書の作成」「経費精算」といった時間割に合わせて、何も考えずに順番に仕事をこなしていけば、**あっという間に1日の仕事が終わる**はずです。

仕事を把握していなければ時間は整理できない

ここでのポイントは、その時間は、**入力されている用件だけに集中する**こと。

他にやるべきことがあっても、それが指定された時間が来たらやるだけですから、思い出してはいけません。国語の時間についでに理科の勉強をしませんよね？ 国語の時間だったら国語に集中していなければ、勉強にはなりません。

同じように、仕事も決まった仕事の内容だけを、その時間に集中してやり、時間内に終わらせるのです。

だらだらと、やることに合わせて時間を過ごしていては、いくら時間があっても終わりません。終わらなければ残業すればいい、家に持ち帰ってやればいい、という考えは捨て去りましょう。

次の時間が来たら、最悪その仕事を中断しても、次に決められた仕事に手をつけるべきです。そうしないと自分の中でまあいいや、という曖昧な気持ちが生まれて、ルールを徹底できないからです。もちろんそうならないように、決まった時間を意識して、それまでにきちんと仕事をやり終えるように習慣づけること。

習慣になってくると、時間内に必ず終わらせなければという意識から、必然的に集中力も高まってきます。他のことを考えている余裕はないので、作業スピードもどんどんアップしてきます。

それでも、時間通りになかなか終えられない……という場合は、自分が**仕事にかかる時間の把握ができていない**と言えます。

仕事にかかる時間の計算は、社会人にとって必須ですから、まずそれができるようになるべきです。

世の中のたいていの仕事には、納期が決まっています。仕事を請けるときに、これだけ時間や手間がかかるので、〇日までに出せます、という見積もりを即答できなければ、仕事は受注できませんよね。

個人も同じことが言えます。**時間の読みが甘いのは、自分の仕事を把握していないから**です。

自分できちんと仕事を把握して、試算ができる状態が、時間の整理ができている状態だと言えます。

ほんの少しでも予定時間より早く終える

さて、ここまでちょっと厳しいことを言ってきましたが、実際には、はじめから自分が仕事にかかる時間をぴったり把握して、カレンダー通りに進められる人は少ないと思います。

最初のうちは、**自分が考えている予定時間の2倍の時間**を取って、スケジュールを組んだ方がいいでしょう。1時間でできる仕事だと思ったら2時間、30分の仕事だったら1時間、といった具合に時間を決めます。

それで実際にやってみて、もし時間が余るようなら、実際にかかった時間に従って次は入力するのです。

ただ、2時間で時間を取ってあるから時間内に終わらせればいいという考えで、いつも通り**だらだらやるのは絶対にダメ**です。

常に、できるだけ決めた時間を短縮することを意識していきましょう。最初は2時間で必ず終えられることを目標にして、2時間で終わるようになったら、5分でも10分でも少しずつ終わる時間を短くしていくのです。

その浮いた時間には、5分でできることリストの内容を片づけていきます。30分以上早く仕事をこなせるようになれば、その分だけ他のことができるようになります。

それが次第に積み重なってくると、できることがどんどん増えていきます。

10個の予定が5分早く終わるだけで、50分が生まれるのです。ほんの数分でも、以前よりも少しでも早くできるように、**毎日ゲームのように楽しみながら**タイムを縮めていきましょう。

その努力を続けるうちに、2時間かかっていた仕事が本当に1時間かからずできるようになる日が来るのです。

すべてカレンダーに入れれば忘れてOK

次に、具体的にどうカレンダーに仕事を割り振るかですが、**毎日書類を分類するときに、同時にカレンダーにやることを入力**していけばいいでしょう。

まず、「今日やること」に入れる書類に関係したやるべきことは、当然今日の予定としてすべて入れます。

それから、「期日があること」として分けた書類は、必ずそれをやる日時を決めてGoogleカレンダーに予定を入れておきます。

例えば、今週末までに提出する企画書関連の資料があったら、実際の締め切りの2日前の日に「企画書作成」という予定を2時間取っておきます。さらに提出日に30分、「企画書見直し&提出」とカレンダーに入力してから、書類に入力した期日の付箋をつけて、「期日があること」ケースに入れておくのです。

やってはいけないのは、カレンダーに予定を入れずに、書類だけ分類すること。必ず、やるべきことはすべてそれをいつやるのか、あらかじめ時間割がカレンダーに入力されている状態にしてください。

この日のレッスンで最初にGoogleカレンダーを使う目的を書きましたが、大事なのはカレンダーにやることの予定がすべて入っているから、自分の頭には入れなくてもいいということです。

人間は忘れる生き物です。たとえその日に絶対やることでも、数分も経てば、10個のうち2～3個は忘れていても不思議ではありません。

ましてや、「今週中にやろう」と思っていることなど、いくつかすっかり忘れているものです。締め切りを催促されてから、慌てて思い出してやり始めた経験が誰でもあると思います。

だから、**どんなことでも先に時間割を決めて入力しておく**のです。

カレンダーにやることが入っていれば、もう覚えている必要はありません。頭の中にやることを忘れないように覚えているスペースがあるなら、その分をやるべき仕事自体に割り振った方がずっと集中できます。

実際、仕事でミスをしたり集中できない原因は、余計なことをあれこれ覚えておこうとして、頭の整理ができていないことが多いのです。

締切日がいつだとか、今日はこれをやらなくちゃとか、記録しておけば済むことにいちいち頭を使うのはムダだと思いませんか？ **ムダなことを徹底してなくすことで、どんどん仕事の効率がアップ**していきます。

だから、わざわざ書かなくても書類を見ればわかるのに……とか、一つひとつ入力するのは面倒……などと思わずに、とにかくカレンダーに全部やることをまとめておきましょう。

一見、手間がかかるようですが、このひと手間で頭の中に余計なものがなくなるなら、その方が数段作業が早くなり、ミスも少なくなるのです。

今日やることを確実にこなせるスケジュールを立てる

それでは1日の始まりに、毎日カレンダーを開いて、今日の時間割を作っていきましょう。

「期日があること」でその日を指定した予定以外は、「今日やること」で30分以上かかることの予定で、ぎっしりカレンダーを埋めてください。

ただし、実際にはその日にやることは電話やメール、上司や部下からの依頼などでどんどん増えていきますし、トラブルなどで思わぬ時間が取られたりします。

当然ですが、ぴっちり予定を組むのではなく、それぞれは**30分ずつ空けて対応できるように**しておきましょう。

それでも予定がずれ込んだ場合は、その分予定をずらして新たなスケジュールを組めばいいのです。

ただどのみち今日中にやらなくてはいけないことは、どんなに時間が押してしまってもやらないうちは帰れないのですから、予定をいくらずらしてもいいですが、その予定は確実にその日のうちにやってください。できなかったらずらせばいいやという甘い考えではなく、**いかに効率よく時間割を組むか**に情熱を注いでください。

さて、「30分以上かかること」だけで予定を埋めるのは、Ｇｏｏｇｌｅカレンダーが30分刻みでしか入力できないからです。

現実には、30分もかからない用件もたくさんあるはずです。それらは、「5分ででできること」ファイルケースにずらりと書いてありますね。

ここに書かれていることは、基本的にはカレンダーに予定を入れませんが、隙間時間にどんどんやっていきます。

隙間時間の細かい活用の仕方は、11日目にお伝えしますが、空いた時間があるからといって**息抜きにぼんやりしたり、手を止めない**こと。

今日中にやらなければならないことでも、30分もかからない程度のことは、**隙間時間や予定の合間に次々とやる**必要があるからです。

問い合わせに返信したり、依頼された確認事項をさっとチェックしたり、書類を捨てるかデータ化しておくといった、5分程度でやることはその場ですぐやってしまうこと。

今日中でなくてもいいことだけが、「5分でやること」リストに入れる用件です。

しかも、その中の用件も隙間時間に一度に3つ程度はどんどん処理して、毎日減らしていかなくてはいけません。

「30分もかからない予定」が見える仕組み

30分もかからない用件は、すぐやることを基本としていますが、それでも5分程度のことが10個も20個もあれば、やはり時間はかかってきます。

慣れてくればその日の予定をこなしながらでもできますが、最初のうちは時間通りに予定を処理するのに精一杯で、時間が余ることは期待できないかもしれません。

その場合は、**数分でできそうなことを10個まとめて時間を取って、カレンダーに予定を入れておく**のです。

集中してやるべき仕事は、できるだけ邪魔が入らない時間帯にしっかり確保しておきますが、5分でできることは隙間時間を活用するので、打ち合わせの前後30分など予備で空けている時間にさっと処理してしまいましょう。

それから、今日中にやる細かいことは基本すぐやるのでリストに書いていないのですが、書かないと忘れてしまう、どうしても今すぐ手がつけられないということは、時間を設定しないでカレンダーに見えるようにしておくこともできます。

Googleカレンダーでは時間を指定するのではなく、「終日」という設定でその日の予定を入れることができます。この設定をしておいた予定は、1日のスケジュールの上の方にまとめて表示されるようになっています。

ここに表示させておいて、数分時間が空いたときに順番にやってしまうのもひとつの手です。また、毎朝30分を「5分でできること」を6個片づける時間としてあらかじめ確保しておいてもいいでしょう。

例えばいつもルーチンで決まった予定はGoogleカレンダーで繰り返し期日を設定しておけばいいですが、30分にも満たない用事でも毎週やることが決まっているようなこともあるでしょう。

毎月月末には精算をする、20日には請求書を出すなど、5~10分程度でできることで期日がいつも決まっているような**ルーチンの用件は、「終日」「繰り返し」設定**で表示されるようにしておけば、いちいちリストに書いておく手間がかかりません。

Googleカレンダーだけでやることを把握する

ここまで、Googleカレンダーでスケジュール管理するやり方を説明してきましたが、ポイントは次の3つです。

1　やるべきことはすべてカレンダーに入れて、自分は忘れる
2　やることの時間を把握して、毎日の時間割を作る
3　時間割に合わせて仕事をし、できるだけ予定時間を縮めていく

この3つで、やるべきことと毎日の時間が結びついて、自分の時間が整理されていきます。

時間が整理されているということは、自分の仕事が把握できていることですから、必ず仕事ができる人になります。業務が早く進むだけではなく、決まった時間に集中して仕事ができて、質もよくなり、ミスが少なくなるでしょう。

ちなみに、こうしてカレンダーにやることをすべて頼るようにしておくと、毎朝その日のカレンダーを開くまで、自分が何をするべきかもわからない状態になります（笑）。はじめは不安かもしれませんが、それでいいのです。

また人によってはＴｏＤｏリストを併用したり、タスク管理のアプリなどを使っていたりするかもしれませんが、**どれかひとつ見ればすべてわかる、**というのが整理する上で大切なことです。

その意味では、Ｇｏｏｇｌｅカレンダーにすべてを集約して、余計なツールやメモは使わない方が効率は上がります。

頭の整理のためには毎日の準備が大切

さて、これで4日目のレッスンも終わりです。

この4日間で、目の前の机の周りも整理され、何か作業をするときはすぐに動けるような環境ができたと思います。

そして、毎日カレンダーを見るだけで、すぐに仕事に取り組めるように、時間も頭の中もかなり整理されてきたと思います。

とは言うものの、実はまだこの4日間のレッスンは、デスクの環境や時間を視覚化できるようにした、準備段階にすぎません。

最終的には、頭がもっと整理され、効率的に物事を処理して付加価値が生み出される人材にならなくてはなりません。

あなたの価値が飛躍的に上がるのは、その段階です。だから、最初の毎日はもしかすると、それほど大きく変わらないように見えるかもしれません。

それでも、ここまでのレッスンで学んだことが身についていなければ、その段階までは進むことすらできないのです。

最初は効果が感じられなくても、毎日繰り返し身の回りのことを整理していきましょう。一つひとつがきちんとできるようになれば、それだけでこれまで1日の仕事にかかっていた時間は2時間は短縮されます。

その分だけ、**あなたの人生でできることは他の人の何倍にも増える**でしょう。

いずれにしろ、断言できるのは、日々こうした準備をしておくだけで、**確実にあなたの価値が高くなる**ということです。

毎日何かを探したり、たくさんの書類に埋もれて、日々仕事に追われている生活から、一歩進んだあなたになったのです。

当然、上司や取引先など周囲からの評価もアップして、いずれは昇格したり大きな仕事に抜擢されるかもしれません。ムダな残業も減って、自由な時間に本を読んだりスクールに通ったり、自分のやりたかったことができる環境になってくるでしょう。

予備校講師時代にはＧｏｏｇｌｅのサービスがなかったので、私が作ったオリジナルの手帳を使って生徒に時間の整理させていたのですが、それでも３ヶ月で生徒たちの成績は格段に上がりました。

今ではもっと便利で時間短縮できる仕組みがたくさんありますから、**たった2週間で効果が現れる**わけです。いつでもどこでも確認できて軌道修正も簡単なＧｏｏｇｌｅカレンダーをぜひあなたの味方につけてくださいね。

FくんGoogleカレンダーで
時間割を作ったおかげで
「ぼーっ」としていた
時間が多かった
ことに気づき
空
Google
カレンダー
空
30分
時間短縮。
毎日21時に帰れるように。
本を読んでスキルアップ！
資格試験に合格して
資格手当をもらうぞ！
めざせ合格

day 5 5日目

データの分類

デスクもデータも整理が基本

5日目からの4日間は、**デジタルのデータを整理する方法**を学んでいきましょう。データの整理にそんなにやることがあるの？　もう机の周りと時間の整理で十分、などと思われるかもしれませんが、ちょっと待ってください。

今の時代、ほとんどの仕事はパソコンがなくてはやっていけなくなっています。用件はメールで来ますし、書類はファイルになってデータ化されています。

目に見える机の文具や書類だけ整理してあっても、実際には大半の仕事はパソコンの中で行われていることが多いのですから、データが整理されていることが仕事のスピードを上げるのには必須なのです。

でも、データの良さは検索ができることでしょ、整理してなくても検索すればいいだけじゃないの？　と安易に考えるのは間違いです。

データだって整理されていなければ、検索しても思うように出てきません。だいいち、検索しなくても一目でわかるような状態にしておけば、いちいち探す手間も生まれません。

データの整理が必要なのは、デスク周りのものと同じ理由からです。

机の中がごちゃごちゃになっていても、探せば出てくるから、整理しておかなくても大丈夫、というわけではないですよね？

必要なものだけに絞り込んで、ぱっと見てわかるようにしておけば、探す時間と手間がなくなって、それだけ早く作業ができるのです。データも同じです。

パソコンは現代のサラリーマンにとって、自分の作業机と言えます。現実の机の周りを片づけたら、デジタルの机も片づけましょう。

すべてのデータはクラウド化する

まだ多くの人や会社では、データをパソコン上に残しています。これが時間を短縮するために一番やってはいけないこと。**すべてのデータは、クラウド化する**必要があります。それは、どの端末からでも、どの場所にいても、即仕事ができる状態を作るためなのです。

例えばあなたが休暇で海外にいたとしましょう。急に何かトラブルがあって、会社の上司から連絡がきました。ところがその処理をするために必要なデータは、あなたのパソコンの中。しかも自分でそれがどこにあるからここを探して、と即答できない状態です。なぜなら、データが整理されておらず、どこにあるか覚えていないからです。

もしこれが、整然と整理された状態でクラウド上にあれば、海外からでも、パソコンを持っていなくても、手元にある端末やネット回線を使ってアクセスでき、**即座にトラブルに対処できる**わけです。

当然上司からも評価され、あなたの地位も年収も上がっていくでしょう。

これがデータの整理及び、頭の整理がされた状態です。

そのために、データをすべて整理してクラウド化していきますよ。

ワードとエクセル、テキストファイルは、すべて、Ｇｏｏｇｌｅのドキュメントかスプレッドシートに転記して、捨ててしまいましょう。これで、**ファイルという概念がなくなり**、データとなります。６日目に完全にクラウド化しますので、今日はそのための下準備として、パソコンの中のデータを整理しましょう。

ルールに従ってフォルダを作る

さて、データの整理に取りかかる前に、まず自分のパソコンの中にどんなデータが多いのか、ざっと見ていきましょう。

その人の仕事の内容によって、データの種類や用途が違うので、分類の仕方も変わります。

まずは、あなたのよく使うファイルや仕事内容によって、**カテゴリー分けする作業**

を行いましょう。先に大きなカテゴリーを決めて、その下に置く小さなカテゴリーを決め、ファイルをフォルダに分けていきます。

例えばあなたが営業職だったら、大きなカテゴリーで「書類」「取引先」「プロジェクト」、書類カテゴリーの中に、「見積書」「注文書」「領収書」、「取引先」カテゴリーの下に各取引先ごとのフォルダ、「プロジェクト」カテゴリーの下に、各プロジェクトや商品名のフォルダ、といった感じです。

この、最初のカテゴリー分けが下手だと、いつまでたっても頭の整理ができません。最初は難しいかもしれませんが、仕事をしながら改善していけばいいので、まずは大まかにカテゴリーを作ってみましょう。

今までもやってたんだけど、気づくとぐちゃぐちゃになってるんだよ、どんどんフォルダもファイルも増えていってしまうんだよ、という方も多いと思います。それは最初のカテゴリー分けがうまくできていないためです。**なるべくシンプルに、なるべくファイル数を減らす努力**をしながら、自分に最適なカテゴリー分けを見つけるまで、試行錯誤してみてください。

そしてフォルダ名やファイル名をつけるときの自分の中でのルールを決めましょう。

ルールは、**検索のしやすさ、つまり探しやすさを基準**にします。

例えば、いつかの会議で課長が言ってたあれ、何だっけ？　えっと……となったときに、議事録というフォルダがあれば、すぐにそこを探せます。

そうすれば、少ないアクションで次の行動ができるようになり、大きな時間短縮とストレス軽減になります。

ファイル名には検索ワードをすべて盛り込む

フォルダと同じように、ファイルも検索するときに探しやすいように工夫をしておきましょう。

フォルダ名は一目で中に入っているものが判断できるような種類の名前をつけますが、ファイル名は具体的に検索で引っかかるワード自体をつけておくのが便利です。

では、**どんなワードが検索で引っかかるのか？**　というと、案外その時々で変わるものです。

よく日付で並べるというのが知られていますが、日付が思い出せなければ検索できなくなってしまいます。案件名や議事録、見積書など目的のワードも当然必要ですが、それだけでは似たようなものが見分けられなかったりします。

一方で、取引先名やイベントの場所など、社名、人名、場所などが意外に手がかりになることもありますね。

結局、どれをつけておけばわかりやすいんだろう……といちいち悩まなくても大丈夫です。

ファイル名には、どこからでも探せるように、**手がかりとなりそうなワードを全部つけておけばいい**んです。

例えば先の例で言うと、何かの会議で課長が言っていた言葉を思い出したい場合、会議の日や場所、課長の名前など、何かしら記憶に残っている可能性があることを、議事録のファイル名につけておけば、課長の名前で検索しても、会議した場所で検索しても、議事録が探し出せるわけです。

私の場合は、この本の打ち合わせのメモを、Ｇｏｏｇｌｅドライブの議事録フォルダに、Ｇｏｏｇｌｅドキュメントを使って保存しています。「２０１３１２０７角川出版書籍内容MTG有明」のように、日付と目的、社名、場所をつけておきます。更に、ドキュメントの一番上にも、日時、場所、参加した人の名前、会議の議題を書いておきます。

すると、ミーティングをした日にちがわかれば日付で検索すれば出てきますし、日にちが思い出せなくても出版関係の打ち合わせをしたときのファイル……と考えて「出版」で検索すれば出てきます。何も思い出せなければ、Googleカレンダーを見れば少なくとも日時と参加者は書いてあるので、検索できるという状態にしておきましょう。

同じ項目でなくてもかまいませんが、**自分が思いつくワードを日付以外にも複数入れて**おけば、そのどれかは覚えているものです。自分なりの一定のルールを決めて、その順番に検索に役立つ項目をつなげたファイル名をつけておきましょう。

ただ、順番に並ぶことを考えて、**最初は日付にする**のがいいでしょう。

「フォルダ」と「ファイル」の整理例

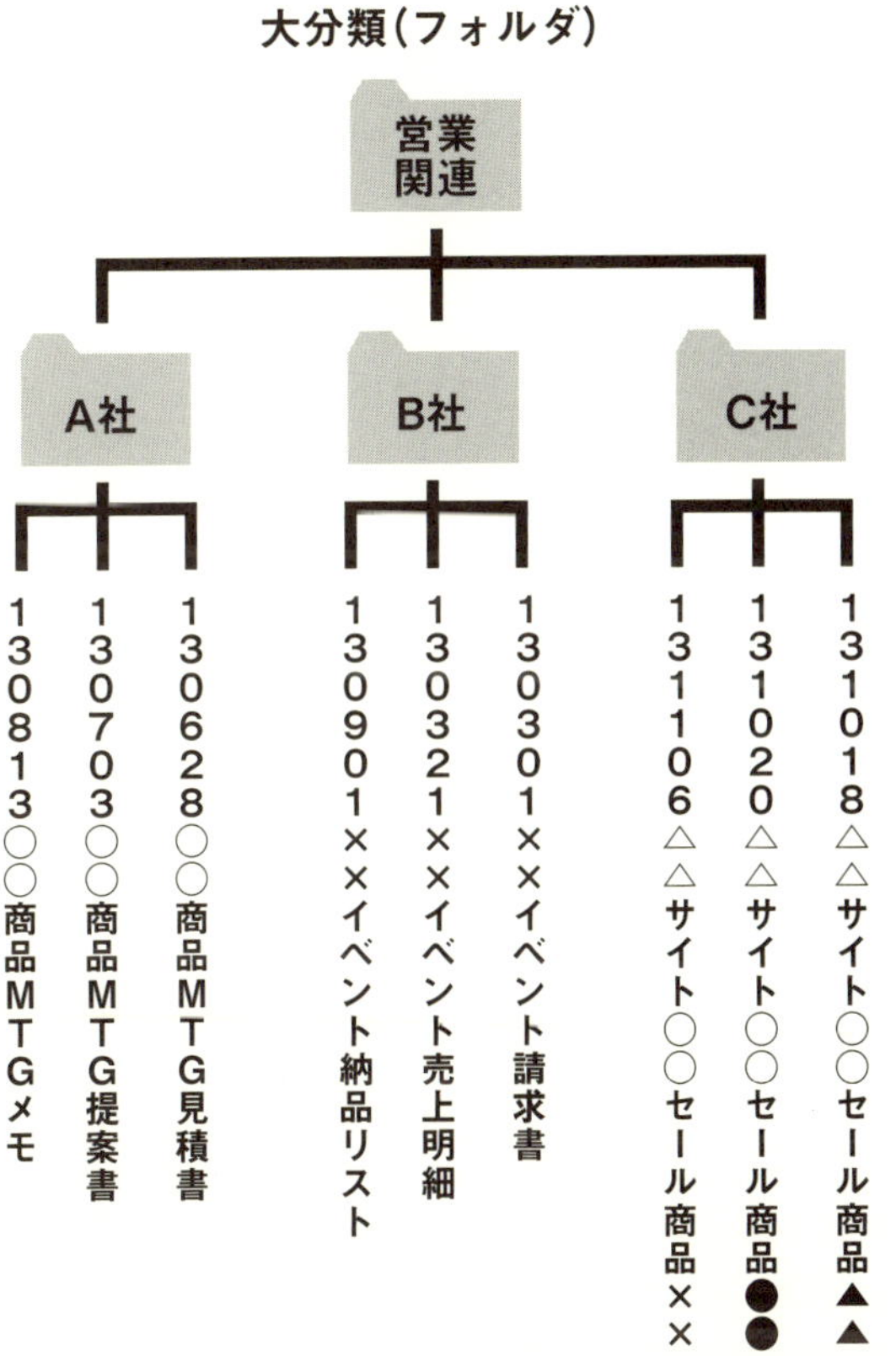

日付→用件、場所、商品、人名…
などの順に、検索しやすいワードを
すべてファイル名に入れておく

進行中のファイルは保存しなくてOK

似たようなファイルがたくさんあって、見分けがつきにくい……という人は、更新されるごとにいちいちファイルを保存しているからかもしれません。

よく進行中のプロジェクトなどで、書類を書き換えると「○月○日版」とか2、3……とバージョンごとの数字を入れたりした、新しいファイルが送られてくることがありますよね。

自分が作成上必要があって保存しているファイルならともかく、更新されるたびに送られたファイルを一つひとつ保存しておくのは、はっきり言ってムダですし、あとでファイルを探すときの邪魔でしかありません。

進行中でどんどん更新されるようなファイルは、そのつど開いて確認するだけで、**いちいち保存しなくてもいい**のです。終わってから必要になるようなケースは、ほとんどないと言っていいでしょう。

そのため、私は添付ファイルを保存することがありません。修正や細かいやり取りが必要な場合は、ワードならGoogleドキュメントに、エクセルならスプレッドシートに転記して、相手を共有してしまいましょう。するとメール添付の手間もなくなり、保存も必要なくなります。

それから、添付ファイルを**送られたファイル名のまま保存しておくのもやめた方がいい**でしょう。

保存する、もしくはGoogleドキュメントやスプレッドシートに転記するなら、あらためて自分のルールに従って、日付+案件名など検索しやすいファイル名に変更してから、きちんと分類したフォルダに仕分けておきます。

このひと手間で、何のファイルだったかあとからすぐわかるようになりますし、**いつでも検索することができる**ようになります。

整理できないファイルは「とりあえず」フォルダに保存

さて、3日目で書類のデータ化を行ったときに、どうしても保存したいものはスキャンもしくはスマホで写メを撮っておく、というやり方を紹介しましたね。

最初に整理したときは当然、その後も時間がないときは、とりあえずデータ化したファイルがたまっているのではないでしょうか。

今日のレッスンでは、基本的にはファイルを保存するときはまずフォルダをカテゴリーごとに分けておき、ファイルはそのどれかにきちんと分類するというのをオススメしていますが、時間がないとき、大量にファイルを保存したいときは、分類している余裕がないときもあります。

そうしたとき、慌ててデスクトップにぽんぽんファイルを置いておくのは、当然ダメです。でも、だからといって、適当なフォルダに入れてしまうと、あとで探すときに苦労するだけです。

そういったファイルは、**「とりあえず」フォルダ**を作っておき（名前は別な名前でも何でもいいのですが）、一時的にそこに放り込んでおきましょう。

もちろん、ここに入れるのは一時的な処理ですから、あとでここに入れたファイルは整理し、分類されたフォルダの中に入れておかなくてはなりません。

そこで、**1週間に一度、「とりあえず」フォルダの中を整理する**、という用件をG

ｏｏｇｌｅカレンダーに入力しておいてください。時間は、「とりあえず」フォルダに入れるファイルの数などによって、人それぞれで設定しますが、おおむね1時間程度でいいでしょう。

それから、「とりあえず」フォルダに保存するときは、**時間がなくてもファイル名だけはルールに従って入力しておく**ことを忘れずに……。

では、ここまでで5日目のレッスンは終わりです。

パソコンで作業するときにも、見通し良くなったのではないでしょうか。

Fくん、データがスッキリして30分の時間短縮だ！

day 6日目

クラウドに必要情報をまとめておく

すべてのことをデータ化していこう

5日目でやったデータの整理では、すでにあるファイルや増えていくデータを整理する方法を学びました。

皆さんがデータを整理するというと、このように今あるデータをどう分けていくか、ということだけになってしまいがちですが、実はデータの整理にはもうひとつ重要な役割があります。

それは、データになっていないものもすべてデータにして、**いつでも使えるようにしておく**ということです。

どういうことかというと、例えば3日目で紙をすべてデータ化することをレッスンしましたね。

紙のままの状態では、必要になったときに名刺を探したり、書類を見つけてから欲しい情報を確認したり、といった作業が出てきます。これだと、探す手間がかかりますし、外出先などからは必要な情報を見ることができません。

それでは、せっかくの情報も、欲しいときにすぐ使えなくなってしまいます。

そこで、いつでも参照できるように紙をすべてデータ化して、どこでも持ち運べるようにするのです。

データ化するということは、3日目でもご説明したように、物理的な紙自体のスペースをなくして身の回りをすっきりさせるという意味ももちろんありますが、このように「いつでもすぐ使えるようにしておく」という役目も大きいのです。

繰り返しますが、**すべての情報をデータ化してクラウド上に置く、というのが大事**です。

最強の保存先はクラウド

これまでの世の中では、重要なことは、紙で記録して保存しておくのが一番の方法でした。

証書や契約書類、明細書、会員証など、今でも重要な確認事項は紙で作られ、大事に保存しておくことが勧められています。

でも、ここ10年ほどで時代は大きく変わってきました。

紙ではなくて、**本当に重要なことはデータで保存しておくのが一番安心だという環境になった**のです。

それも、データの保存先は自分のパソコンの中ではなく、クラウドと呼ばれる、ネットにつなぎさえすればいつでもアクセスできる巨大なサーバーが最適です。

データはパソコンが壊れてしまえば、もう取り出せないから不安。だから、やっぱり紙で保存しておくのが一番……というのは、一昔前なら確かに一理あったのかもしれませんが、クラウドサービスが普及した今は、すっかり古い考え方になっています。

今私たちが使っているクラウドは、GoogleやDropboxなど世界中に何億という会員数がいるような巨大なサービスであり、もはや多くのビジネスがそれらのサービスを使って成り立っているほどです。

確かに、コンピューターを使ったサービスである以上、何らかの不具合やデータ消失の可能性もゼロではありませんが、そうした万が一の可能性まで危惧《きぐ》するなら、紙だって火事や紛失の可能性もあるわけです。

それよりは、**世界でも最高レベルの備えをしているクラウドサービス**にデータを保管しておいた方がよほど安心でしょう。

どうしても心配な人は、今は大きなクラウドサービスがいろいろ選べますから、GoogleだけでなくDropboxでも、iCloudでも、複数に保存しておけば完璧です。

結論としては、すべての情報をデータ化し、それらを自分のパソコンではなく、必ずクラウド上のサーバーに保存すること。

会社によっては、部署や会社内で共有しているサーバーに仕事上のデータを保存しなくてはいけないかもしれませんが、それでもできるだけ自分が必要とするデータに関しては、クラウド上に保存しておきましょう。

そうしておけば、外出先や自宅で作業しなければいけないときも、すぐに必要なファイルにアクセスできます。

ちなみに、きちんとセキュリティ管理をしていれば、外から外部の人がアクセスすることはできませんから心配は無用です。

オススメはファイル作成までできるＧｏｏｇｌｅドライブ

５日目で今あるデータを整理しましたが、もしこれらのデータが自分のパソコンに入っているものだったら、すぐにすべてクラウドにアップして、以降はクラウド上に保存するようにしてください。

基本は、ワードやエクセルファイルの代わりに使えるＧｏｏｇｌｅドライブを活用します。

1日のスケジュールの管理でもGoogleカレンダーをオススメしましたが、最近はメールを確認するのもGmailの人も多いでしょう。あまりあちこちのサービスを使うと煩雑になってしまいますから、Googleのログインパスワードだけ記憶していればあとは**Googleで完結できる、**という状態を作っておきましょう。

そして、Googleドライブをオススメする一番の理由は、無料でWordのような文書を作れるGoogleドキュメント、Excelと同じような表を作ることもできるスプレッドシートが使えるという点です。

これなら、いちいち別なソフトを立ち上げてファイルを作成する必要もありません。Googleドライブ上で、ファイルの作成から保存まで完結してしまいます。

容量も**15GBまで無料**で使えますし、ひとつのファイルを共有して、何人かで作成するような作業にも向いています。これを使うと、バージョンアップのたびにファイルが増えて整理できなくなるリスクも避けられます。

今はまだWordやExcelファイルが一般的ですが、もう何年かして誰もがクラウドで仕事をするようになれば、Googleの文書やスプレッドシートの方が普通になるかもしれません。

そうなれば、メールでファイルを送らなくても、Ｇｏｏｇｌｅドライブで共有するだけで誰もがすぐファイルにアクセスして作業できるようになるでしょう。

「必要なときにＩＤ、パスワードが出てこないっ！」を防ぐ

さて、データのクラウド化ができたら、最初にお伝えした**「データになっていないものもすべてデータ化する」**作業をさらに進めていきましょう。

紙をすべてデータ化するだけではなく、紙で保存していないものも必要な情報があれば、すべてデータを作っておくのです。

3日目で「重要な情報はスプレッドシートに記録する」というのをやりましたが、これと同じように、スプレッドシートに記録しておくべき情報があれば、それらをまとめていきます。もちろんＧｏｏｇｌｅドライブ上でスプレッドシートやドキュメントは、カテゴライズされたフォルダ内にまとめておきます。

ソフトのシリアル情報、金融機関の口座番号、パスワードなど、なくしてはいけない重要な情報も、紙でバラバラと保存せずにひとつのスプレッドシートにタブ分けしてまとめておきましょう。

それからカードや会員証の会員番号なども、手帳や紙ではなく、Ｇｏｏｇｌｅドライブのスプレッドシートに記入します。財布の中やケースからカードを出して、自分の会員番号をシートに書きとめていきましょう。これで会員番号がスマホからアクセスすればすぐわかるので、カードを大量に持ち歩かなくても済むようになります。財布に会員カードが大量に入っている状態は、**財布の中が整理されていない状態であり、金運も下がります**ので注意しましょう。

私のアドバイスでこれを行った受講生さんは、翌年金運が上昇して、**貯蓄が２００万円増えました。**

ウェブでいろんなサービスが提供されることが多い今の時代は、リアルな会員証よりもウェブサイトの登録情報が圧倒的に多いかと思います。

これらも、何となくその場は登録してみたものの、しばらく経ってからもう一度使おうと思ってみると、**IDやパスワードを忘れてしまう**ということがよくあります。

どうしても思い出せずに、何度もパスワードの再設定をしたり、ひどい場合は新たに会員登録したりといったことをするのは、時間や手間のムダとしか言えませんし、相手サービスにとっても迷惑な話です。

これらも先程のスプレッドシートに記入して漏れなく管理しましょう。登録サイトのURL、ID、パスワードを一つひとつ記入してまとめ、以降は登録するたびに必ず記録しておくようにします。

そうすれば、自分がいざサイトで買い物をしたり、会員ページを開いたりするときに、メールを検索したり、パスワードをいろいろ試したりしなくても済みます。当然、時間のロスも減り、効率よく作業することができるでしょう。

クラウドに集約しておくだけでムダな時間が減る

このように、自分にとって忘れてはならない大事な情報があれば、紙のものもメールに書いてあるようなことも、すべて一度スプレッドシートを作って、ジャンルごとにシートを分け、まとめていきましょう。

最初だけはまとめるのが大変かもしれませんが、一度このシートを作っておけば、あとは情報が更新されたり、追加されるたびに、すぐに開いて入力するだけです。

その手間だけで、必要な情報を探す時間がなくなり、**スマホでもパソコンでもどこからでも、最短で目的の情報にたどり着くことができる**のです。

うちに帰ってから口座番号を調べて書類を記入しようとか、会員番号を入力しようとして財布からカードをいちいち取り出したりとかしていると、そのたびに次の行動へ移るのに時間がかかってしまいます。

これから先の行動にかかる時間効率を考えると、スプレッドシートに入力する手間を惜しんではいけません。


クラウドに保存しておくことは、大きな効率化につながります。

デスクトップとノートパソコン、会社や自宅などいろいろなところで作業をしたり、ちょっと記録しておきたいときに、別なファイルを新たに作ることがなく、どこにいてもひとつのファイルだけで更新することができるので、ファイルが散らばることがありません。そもそも、ドキュメントやスプレッドシートは、ファイルという概念ではありませんので、ファイルというものが減り整理整頓ができるのです。

これまではメールに添付したり、USBリーダーなどでデータを移していた作業も必要なくなります。

それに、パソコンなどは必ず壊れてしまうトラブルが付きものですが、**クラウド上にデータがあればすぐに復旧させることができます。**

新しくパソコンを買い換えたりする際にも、以前はデータの移行だけで丸3日かかっていたような作業が、クラウドにすべてのデータがあれば、どのパソコンからでも即座に仕事に入れます。

そうしたことを考えると、クラウドにデータを保存するだけで、これまでよりずっとスムーズに作業ができ、余計な時間が減ってくると言えます。

私の会社は在宅の外注スタッフが中心ですが、データのクラウド化により、どこにいてもどんなパソコンからでも、夜中でも休暇中でも、何かあればさっと手配してくれるので、スタッフたった2名という少人数の頃から、年間2億円以上の売り上げをあげることができています。

それでは、ここまでが6日目のレッスンになります。

散らばっていた情報をまとめて、クラウド化させることで、何かあったときにもすぐに対応でき、自分にとって大切な情報がいつでも確認できる環境を作っていきましょう。

クラウド
データ
Fくん、データを
クラウド化してすっきり
整理したら1日1時間の
時間短縮。
なんと19時30分に退社できて
何かちょっとしたやり残しも
自宅や通勤途中にスマホから
片付けられるように。
この方法を同僚に教え
リーダーシップも
身に付いて
クラウド
PC
スマホ
クラウド
ついに係長に昇進！
役職手当5万円もアップした！

day 7日目

一目でわかる索引を作る

索引を作ることで見えないデータが見通せる

クラウド上にデータを整理し、重要な情報をまとめてアップしたら、それだけでもパソコンで作業をするときの効率はぐんとアップします。

でも、そこからさらに効率化を進めていくために、もうひとつ準備しておくといいのが、**索引**です。

索引というと本の巻末につけられている、各項目を参照するページを示したものが頭に浮かびますが、ウェブなどのデータでもインデックスと呼ばれて使われています。

私たちがよく目にするのが、あるサイトの構造を示すサイトマップと言われるインデックスですが、これと同じようなものを自分のデータの管理にも使ってみましょう。

自分のデータは自分で見ればわかるから、そんなものいらないよ、と思いましたか？　本やウェブページを作っているわけではないし、索引を作るほど複雑な状態でもないのに、どうして必要なの？　と不思議に感じるかもしれません。

でも、データを管理するときは、フォルダの中にさらにフォルダ分けがあり、そこにまたいくつかフォルダが入っている場合もあります。

フォルダによってどんどん階層を作って整理ができるのは、データのいいところですが、第1階層にあるフォルダを見ただけでは、どんなデータが入っているか、一目ではわからなくなります。

そこで、索引を作っておくのです。

それによって、どこに何があるのか、フォルダを開く前に見通せる環境が出来上がります。

スプレッドシートにフォルダの内容をまとめる

例えば、「マーケティング」「営業関連」などの業務別、「〇〇連絡会議」「セミナー」などのイベント別などでフォルダを分けておき、それぞれの関連ファイルを整理しているとします。

でも、関連するファイルはさらにいろいろなカテゴリーに分かれるはずです。「マーケティング」というフォルダの中には、「レポート」「販促プロモーション」など、より細分化した業務に分かれていたり、商品別、サービス別などにフォルダが作られていたりします。

自分が必要なファイルがどのフォルダの中に入っているのか、検索して探すという手もありますが、だいたいどんなカテゴリーがそのフォルダの中に入っているのか、あらかじめ索引を作っておけば、見通しが立ちやすくなります。

「レポート」だったら毎月〇〇から出される商品売り上げのレポート書類、商品別だったら各商品名、などフォルダの中身がわかるような項目を、スプレッドシートの各セルに入力しておきます。

そして、**リンク先のURLも横のセルに記入**しておきましょう。

リンク先のURLは、Googleドライブだったら「リンクを取得」や「コピー」などでコピー&ペーストできます。

実際のフォルダの中をさらに開いて見なくても、索引のスプレッドシートに目的のフォルダやファイルがあれば、リンクをクリックするだけでアクセスすることができるのです。

データもものも定位置を明示しておくのが大事

ルールに基づいたフォルダ分けと索引を作ることに慣れてきたら、どういう分け方をするのがいいか、先に考えて索引を作り、それに合わせてフォルダを作るといいでしょう。

データを分けるときのルールをあらかじめ決めておき、フォルダを作るときもそのルールに従って作るというのがベストです。

索引を作って、自分がデータをどう整理しているかが把握できるようになると、だんだん自分なりの分け方の基準が見えてくるので、ルールが意識できるようになります。

ルールができてくると、データもそれぞれの定位置が決まってきます。

ものを整理するときのコツは、**「定位置を決めておく」**こと。そして、定位置を決めたら、それをわかるように示すことです。

「カイゼン」「カンバン方式」「ジャスト・イン・タイム」など様々なビジネス手法を生み出してきた自動車メーカーのトヨタでは、生産性を向上させるため、整頓をするときに、ものの定位置を明示するのが基本だと言います。

「パソコンの中にファイルにして管理しています」では、見ようという意識がないと見られず、決めた場所も日々の生活や仕事の中で忘れてしまうからです。

そこで、何がどこにあるかは、もののすぐそばに提示するようにしているそうです。

例えば、ファイルケースの背に「取扱4」とタイトルを書いて、「ビデオカメラ1

〜6、プロジェクタ1、2……」など、入っているものの詳細をラベルで貼っておきます。このように、「紙に書いて貼り出す」「棚にシールを貼って、中に何が入っているかを書く」といった方法で、**「見よう」と意識しなくても「見える」ようにする**のです。

私が作っているデータの索引も同じことです。

どんなデータがどこにあるのか、一目瞭然の状態を作っておけば、データを整理するときにもデータを取り出すときにも迷うことがありません。

さらに、データ以外にも自分が持っているものの定位置も、スプレッドシートで索引を作っておくといいでしょう。

◯◯の保証書はここ、××の鍵はここ、といったように一覧を作っておけば、そのファイルを見るだけで、いざというときにすぐわかるようになります。

共有のデータも整理して索引を作ってあげる

索引を作っておくというのは、自分だけではなく、誰が見てもどこに何があるかわかるという利点があります。

今はサーバーでデータを共有しながら仕事をする、というのが当たり前になってきました。

データの管理は、自分だけわかればいい、という話ではなくなっています。

誰が見ても、どのフォルダに何のデータ類が入っているのか、**一目瞭然となる仕組みが求められているのです。**

同じ部署や会社で、サーバーでデータを共有している場合、みんながそれぞれ自分の判断でフォルダを作っていったり、ファイルをどこかのフォルダに入れてしまって、共有のデータがぐちゃぐちゃな状態になっていることがあると思います。

自分にはわかっていても、他の人にはどこに何のデータがあるのかすぐにはわからず、いちいちフォルダを開いて探すことになるのは、仕事の効率を大きく下げることになります。

そういう場合は、他の人たちがやっていることだから自分には関係ない、と考えるのではなく、自分が率先してデータを整理してあげるべきです。きちんとわかりやすいフォルダ名をつけて、ルールを作ってそれぞれのフォルダにファイルを分け、索引ファイルを作ってあげましょう。

そうすることで、自分の部署や会社の誰もが、データの分類のルールがわかるようになり、データを作って入れるときも使うときも迷わなくなるのです。

誰もが忙しくてやりたいけれどやる余裕がないというのなら、あなたがやってあげるだけで感謝され、職場での評価も高くなります。

自分にとっても、使いたいデータを探し回ったり人に聞く必要がなくなり、**仕事を進める上で時間の節約**につながります。

共有データを整理することで会社に貢献しよう

共有のデータを整理することで、意外なムダが見つかり、職場全体の効率が上がることも考えられます。

例えば、取引先のリストを部署内のそれぞれで作成していて自分の仕事で使っている場合、ひとつのファイルにまとめて共有できるようにしておけば、誰かが更新することでみんながその情報を使えるようになります。いちいち、それぞれが作成するムダがなくなるのです。

共有で使っているもの、場所などのパスワードも、索引を作ってまとめておけば、一人ひとりが控えておかなくてもみんなが参照できるようになります。

このように、できるだけ**みんなが共有できるシステム**を作ってあげる、というのは大事なことです。

私の会社では日報なども全員見られるように共有のフォルダにアップしていますが、

これによって他のスタッフの動きがわかり、仕事の段取りがつきやすくなります。

今はこれをやっているから忙しいはず、○○という仕事をやっているなら、ついでに関連したことも頼んでみよう、など効率よく仕事が進められるのです。

すると、それぞれのスタッフへの作業の邪魔が極力なくなり、売り上げを上げるという本来の仕事に誰もが専念しやすくなります。


自分が仕事に専念できるように、頭に記憶しておかなくても済むよう、リストやカレンダーに記入したり、索引を作ったりするのと同じように、会社もデータを整理し、**共有できる仕組みを作ることで、余計なことに労力を使わなくてもよくなります。**

誰もが集中して仕事ができる環境ができることで、仕事の質やスピードが上がり、結果的に売り上げも上がって自分の給与に返ってくるのです。

会社の環境まで整理しなくても……と考えるのでは、いつまで経っても仕事ができる人として評価はされません。

自分の給与を出しているのは会社の売り上げですから、会社全体の売り上げに貢献するために何ができるのか、まずはデータを整理し索引を作っておく、共有のものをわかりやすく明示してあげる、といったことを進んでやっていきましょう。

7日目のレッスンはここまでです。

データが整理されただけではなく、どこに何があるか一目瞭然となる仕組みを作ることで、より仕事ができる環境が整ってきたと思います。

広報1月
広報2月
広報3月
経理1
経理2
索引
Fくん、
共有データの
索引を作って
リーダーとして
認められ
ボーナス10万円アップ
ただいま短縮された時間、1日に3時間
ただいまの年収　320万円→403万円

day

8日目

ネタとなるデータを保存する

仕事に必要なのは道具かネタになるもの

7日目までで身の回りのものやデータをどう整理するのかレッスンしてきましたが、14日間のレッスンのうち、ここまでの1週間だけでかなり仕事が効率化され、ムダな時間も減ってきたと思います。

おそらく時間にして1日に3時間ほどの余裕ができたはずですが、これで満足せずにさらに仕事ができる状態を加速していきたいですね。

実は本当に収入がぐんぐん上がるような仕事をする人は、ただデータやものを整理して効率よくしているだけではなく、**仕事のアイデア、ネタとなるものを常にストッ**

クできている人なのです。

仕事で使うものは、大きく分けると**2種類**になります。

「道具となるもの」と**「ネタとなるもの」**です。

文具類や取引先などのデータ、注文書などの書類は、仕事を進めるための道具（ツール）です。これらは、使いやすく整理されることで、仕事の効率がアップします。

もうひとつは売り上げアップにつながるネタとなるもので、書類や本、雑誌などの紙や商品自体など、さまざまなものが考えられますが、それらは最終的にデータ化し、必要に応じて頭の中の索引を通じて取り出せるようにしておくべきものです。

世の中の整理術や仕事術の本では、道具となる机の片づけや書類やデータを整理することは教えますが、もうひとつ大切な「売り上げアップの元ネタ」については、ほとんど触れることがありません。

もちろん、道具となるものをちゃんと整理するだけで、作業の効率がアップするので、必然的に仕事ができるようになったり売り上げが上がったりするのですが、それだけでは本当に大きく収入や収益を上げる力にならないでしょう。

そこで、ここからは最終的にお金持ちになる人の考え方、やり方を身につけるために、ステップアップした整理術をお伝えしたいと思います。

ネタになるものが収益には欠かせない

先ほど仕事で使うものを2つに分けましたが、極端に言うと道具となるものは収益には直結しません。収益アップを補佐するだけです。

いくら文具が整理されていても、取引先データが整然と作られていても、それ自体が売り上げを上げているわけではないのです。

では何が会社の売り上げを上げているかというと、その会社の商品なりサービス自体です。

ネタとなるものがなぜ大事なのかというと、これらこそが会社の新商品や新規サービスを生み出す企画の元であり、**最終的に売り上げを上げる源泉**となるからです。

だから、身の回りのものやデータを整理しているだけでは、時間短縮はできても、売り上げを上げ、自分の収入を上げていくことに大きく貢献できないのです。

本当に仕事ができる人というのは、道具となるデータやツール類を整理していつでも使えるように準備した上で、その分時間や手間を効率化し、浮いた時間でさらに**ネタとなるものを日々ストックしながら、コンテンツ化している**ものです。

これができるようになるにはそれだけの余裕が必要ですから、7日目までで学んだ整理が必須ですが、それらが身についてくれば当然、売り上げを上げるために意識的にネタとなるものを集めていくようにしましょう。

しかもアイデアの源泉となるネタは、道具となるものと同じように、いつでもすぐ使えるように整理されていなければいけません。

それには、最終的にすべてデータ化するのが一番です。

データ化することで、どこにいても即座に参照ができるようになり、ムダなスペースを取ることなく、たくさんのネタを保存することができるようになります。

ネタのストックは必要な部分だけにする

ネタとなるもので代表的なのは、雑誌や本など紙に記されたものですが、これらは3日目でレッスンしたようにスキャン、画像、スプレッドシートへの入力のどれかでデータにしていきます。

特に本は場所をとりますから、あとで何かに役立てようと感じた部分だけを記録する読書用のスプレッドシートを作っておき、読みながら即その箇所を記録するようにするといいでしょう。

そうすれば、本自体は持っている必要がなくなるので、すぐに人にあげたり、古本屋に持っていくなどして処分できます。

記録し続けていくと、やがてこのスプレッドシートに情報がたまっていき、新しい企画アイデアが生まれたり、会議や営業のときの提案資料として使えるようになるだけでなく、**オリジナルコンテンツを生み出す準備**が整います。

ネタとなるものは必要な部分だけをデータ化してストックする、というのが基本です。自分がこれから役立つと感じたその部分だけを切り取り、それ以外はデータ化する必要はありません。

例えば、何か商品を比較するために資料を集めたり、見積もりなどを取り寄せたら、価格やサイズ、機能などをスプレッドシートに記載して、集めた書類は捨ててしまいます。必要なことが数字やスペックだけだったら、画像やＰＤＦにせずテキストデータにした方が、検索もできるのでずっと有益なのです。

雑誌でも、１ページそのままスキャンして取っておいても、そのページの中の何が必要だったのかわからなくなることがあります。**自分がどの部分に注目し、何のためにその情報を取っておきたいと思ったのか、それがわかるようにしておくこと**がネタをデータ化するときに大切なのです。

資料は持ち帰らず、その場でデータ入力を

私の例で言うと、あるとき新幹線で移動した際、座席シートの背に入っている雑誌

を読んで、ひとつの記事に目を留めたことがありました。

それは米国で最高峰の大学であるハーバード大学が、あるオンラインの講座を始めているという内容でした。

オンライン講座というと、実際の授業で知識を学び、オンラインでは宿題を出して提出する、などといった形が一般的ですが、この記事によると知識を学ぶこと自体はオンラインで十分できるので、オンライン講座で学んでから、学校に来たときにディスカッションなどをしましょうといった、従来の使い方とは逆転した形を、ハーバードが取り入れているというものでした。

私はオンラインスクールを運営していますが、私が提唱しているのと同じ考えを、ハーバード大学が推奨している点に注目しました。この記事は、私の運営するオンラインスクール会報のネタとして必要だなと感じ、すぐにＧｏｏｇｌｅスプレッドシートに記載しました。

普通は、無料の雑誌なのでそのまま持ち帰って資料としてとっておくかもしれません。

でも、私の場合はすぐその場でGoogleドライブに設定したネタ用のスプレッドシートに、「○○誌○月号　ハーバード大学がオンラインスクールの重要性を見つけた　スクールは20××年の×月から始まった」と書き込むだけで、雑誌は持ち帰らず、データを保存したのです。

このように、すぐその場でネタの情報だけをスプレッドシートに記録しておくのが、一番オススメの方法です。その場でやらないと、ネタを保存するのにどんどんムダな手間がかかり、時間をロスするばかりか、雑誌を捨てるというムダも発生するからです。

こうして記録しておけば、のちに自分がコラムを書くときのネタとして、「あのハーバード大学でもオンラインスクールを活用して授業を行っている」といったことが書けますし、データ化しているので**記憶に頼らずとも出典や時期も明記できます**。

なお、記録するのは固有名詞や日時、雑誌や書名と概要だけで、文面をそのまま記載する必要はありません。引用したいわけではなく、**あくまでアイデアの元**としたいからです。それよりも、何のためにこの情報をストックしようと思ったのか、その目的を入れておきましょう。

捨てるものは即データ化することでムダをなくす

先ほどの例で、雑誌を持ち帰らずにその場でデータを入力することをオススメしましたが、たいていの人は雑誌や本でネタとして使える箇所があったら、ページに付箋を貼っておいたりして、雑誌や本自体を資料として持って帰ると思います。

けれども、**この行為は二重にムダを生む**ので、できるだけやらないで下さい。

ひとつ目のムダは、持って帰って資料としてものをストックしておいても、あとでいざ整理するときはいろんな情報がぐちゃぐちゃになって取り出すのが困難になる、という時間のムダです。

もうひとつは、雑誌を持って帰ってから、いずれそれを捨てるという、もの自体のムダです。

このときの私は新幹線で移動したあと、ホテルに泊まるだけでしたから、とりあえず雑誌を持って帰ってホテルで寝る前にその記事をデータ化してもかまわないはずですが、捨てるとわかっている雑誌を持って帰るのはもったいなくて、私にはとてもできませんでした。

世の中にはタダで持っていってください、と置いてあるものがたくさんありますが、**タダというものは本当はタダではない**のです。

もらった個人にとってはタダですが、それを作って配布するのに必ず企業がお金を出しているからです。

私は経営者なので、お金を出している企業側の視点で考えます。いらないのに持って帰る人がいると、お客さんにならない人がそれを必要な人の分まで取ってしまうことで、その分余計なコストがかかる計算になり、その分の経費を上乗せして、商品価格は高くせざるを得ません。

それを一人ではなく誰もがやるとどうなるか。タダだからと1000人の人がすべてそれを持ち帰って、捨てるなら、社会的には大きなロスになってしまうのです。

本当に会社に利益をもたらすような仕事のできる人になるのなら、**個人の視点だけ**

ではなく、こうした企業側、社会全体の側に立ったものの考え方をしなければなりません。

自分にとってはタダだし、それほど手間ではないと考えていても、社会にとってそれがムダであれば、やってはいけないのです。

だから、お持ちくださいと言われたものでも、あとで捨てるとわかっていれば、「けっこうです」ときっぱり断ること。ものをムダにしないと同時に、それを捨てる時間が節約できるからです。

情報に埋もれず必要なデータだけを日々ためていこう

こうした「すぐその場で」ネタとなる情報を記録することを習慣づけていくと、ものの自体もたまらず、余計な時間もかからずに、次第に自分の知識や発想の元になるネタがデータとして蓄積されてきます。

紙やもの自体はどんどん捨てていき、シンプルな環境にし、ネタとなるデータは、毎日意識的に記録し、ためていきましょう。

雑誌や本だけではなく、日常生活や仕事の中のあらゆることが、意識ひとつで有力なネタとなります。

街で見かけた新商品、テレビで取り上げられていた最近の流行、電車の中吊りにあった宣伝コピー……。自分が会社を経営していると考えれば、どうすれば売り上げを上げられるか、商品の企画でも顧客への提案でも、何かしらに使えるネタを日々集めてストックしておこうという意識になります。

だからといって、大量の情報の中に埋もれてしまって、ただ何でもストックするだけになってはいけません。

今はウェブやSNSなど、あらゆるところから際限なく情報がもたらされるので、情報を整理しているだけで時間がかかり、仕事をした気になっている人も大勢います。

ネットや口コミなどの受け売りではなく、自分が感じたことこそが、ストックしておくべきネタなのです。

ネットやテレビ、雑誌のニュース記事などの内容は、ほとんどが2次情報でしかありませんので、惑わされないようにしましょう。

記録しておくべきなのは、数字などの統計的なデータや事実関係だけです。

これらは誰が扱っても正しいので参考にするためにストックしておいていいものです。しかし、ブログやネット記事の感想やレビューなどは単なる2次情報で、あてになりません。

できれば、必要なデータだけを自分でスプレッドシートに書き写しておくようにしたいですが、どうしても時間がない場合は、参考にしたいウェブページのURLだけ記録しておき、後でまとめる時間をGoogleカレンダーに確保しておけばいいでしょう。

また、移動中に見かけたり、その場ですぐ記録する余裕がないときは、スマホで写メを撮っておいてもいいですが、できるだけその日のうちに記録したいデータだけを入力しておくクセをつけたいですね。

その場合は、**入力したらすぐ、写メの画像データは捨ててしまう**こと。

もしその日に時間が取れない場合は、週に1回2時間くらい情報整理の時間をとって処理します。

慣れてきたら、情報整理の時間がもったいないので、その場ですぐデータをストックするようになると思います。

数字や自分が感じたことだけなら、スマホでもすぐ入力できる程度のテキストです。スマホならどこでも持ち歩いているはずですから、その場か隙間時間にどんどん情報整理をして、ネタデータをストックしましょう。

ではこれで、データの整理についてはひとまず終了です。

すべてをデータ化し、整理し、索引をつけて定位置をわかるようにしておくこと、こうすることで道具となるデータが効率よく使えるようになることを学びましたね。

そして、自分の仕事のレベルを上げるために欠かせないネタのデータ化、ストックの大切さについてもよくわかったと思います。

このデータストックの使い方については、のちほど13日目のレッスンで詳しく説明しますから、まずは**日々のネタをためていくこと**に着手しましょう。

ネタ
アイデア
フォルダー
Fくん、ネタをストック
するようになって
新企画を提案する
数が格段に増えた！
おかげで企画が採用され大成功
F案
採用
30万円の
ボーナス
ゲットだ！
ワーイ
賞与

day 9

9日目 自分の時間を把握する

時間は記録することで把握できる

このあとのレッスンでは、いよいよ頭の中を整理し、自分を効率化することで、ぐんぐん評価が高まっていき、最終的にはそれに見合った収入を得るようなビジネスパーソンとなる方法をご紹介していきます。

まず最初にぜひやっていただきたいのは、**自分の時間を把握する**ということ。

4日目にGoogleカレンダーでスケジュールを立てるやり方を学んだときに、たいていの人が最初は自分が作業にかかる時間を正しく見積もれない、とお伝えしたことを思い出してください。

自分の頭の中や時間といったものは、目に見えないので、正しく整理するのが難しいもの。とはいえ、これこそが仕事で一番大切な、整理すべき存在です。

そこで、レッスンの初めの方の4日目ではＧｏｏｇｌｅカレンダーを使って、時間を視覚化し、整理をしやすくしました。

Ｇｏｏｇｌｅカレンダーで時間割を作って、それに合わせて仕事をすることで、だんだん仕事にかかる自分の時間が見えてきていることでしょう。

ただ、Ｇｏｏｇｌｅカレンダーは30分が単位ですから、本当に正確な時間までは把握できていませんね。

そこで、自分の時間を正確に把握するために、**時間を正確に記録**してみましょう。

記録することで時間効率について意識する習慣が身につき、何にどれだけ時間が費やされているのか、正確な数字がわかります。

正確な時間がわかることで、初めて時間が整理された状態になるのです。

毎日時間を記録するだけで予備校生の成績がアップ

昔、私が予備校の講師時代に、生徒の成績を上げるため、全員に朝起きてから寝るまでの時間を全部記録しなさい、と教えたことがありました。

当時はＧｏｏｇｌｅなどというものはなかったので、とにかくノートに記録していくことで時間を意識させるようにしたのです。

予備校に来ているくらいですから、生徒は全員、自分は毎日勉強をしていると言い張ります。でも、成績が上がらない。それはおかしいので、実は勉強をしていないということを自覚させるために、記録を取らせたのです。**人は、自覚していないことを決して改善できない**からです。

結果は上々でした。時間を記録し始めてから1ヶ月ほどで、他に特別なことは何もしていないのに、生徒たちの成績はみるみる上がっていったのです。

どうしてでしょう？　それは、実際にはムダに過ごしている時間がたくさんあることに、生徒たちが自分で気づいたからなのです。

例えば、○時〜○時に勉強、と書くのではなく、○時○分から○時○分まで、問題集の×ページから××ページまで解いた、というように、具体的に時刻とやった勉強の内容を正確に記録することが重要です。

漫然と勉強していた、というのでは記録する意味がありません。何をやったのかを数字で表せるようにさせ、勉強以外の時間も、すべて、どんなに些細なことでも何をしていたか書かせました。

記録してみると、意外と「何をしていたのか覚えていない」という時間が多くあることに、誰もが気がつきました。受験生なので、毎日ずいぶん勉強しているように感じていたけれど、**空白の時間がけっこうある**のです。

生徒全員でこれらの空白の時間の平均を出すと、1日5時間ほどにもなりました。

この時間はなかったのと同じですから、「この時間をすべて勉強に当てたとしたら、どのクラスの生徒よりも成績がよくなるはずだよね」と伝えると、生徒たちはハッとして意識が変わり、あえて勉強しなさいと言わなくても自然と成績は上がっていきました。

別にそのクラスの生徒たちが優秀だったわけではありません。人よりも多く勉強すれば、成績が上がるのは当然のことです。

その**時間がないと思っていたのを、「ある」と気づいたから活用できた**のです。

分単位で正確に記録してみよう

私は今でもビジネスパーソンを対象にしたセミナーで、この時間を記録するという行為をオススメしていますが、残念なことに大人は「記録します」と口で言っても、実際にはやらない人が多く、高校生ほどの成果が見えません。

やりました、と言っても、例えば「9〜17時：仕事、19時〜20時：夕食」といったような書き方では、全く意味がないのです。

記録するときは、何の仕事をしたのか、自分が何をしたのか、内容を正確に書き記す必要があります。それも、分単位で記録してください。

・9時〜始業、メールチェック

・10時～打ち合わせ
・11時～会議

このような書き方は、Googleカレンダーの時間割でしかなく、実際にはありえません。

実際の正確な時間を書いてみると、

・8時58分　席に着く
・8時59分　パソコンを立ち上げる
・9時04分　お茶を淹れて席に戻る
・9時06分　メールチェック開始
・9時27分　メールチェック終わり
・9時31分　メール返信開始

……といったように、必ず次の動作への間に、**数分のずれ**があります。

自分の正確な時間を記録しよう

9
始業
メールチェック
10
打ち合わせ
11
会議
12
⋮　⋮

✕

8:58 席に着く

8:59 パソコンを立ち上げる

9:04 お茶を淹れて席に戻る

9:06 メールチェック開始

⋮

9:27 終了

9:31 メール返信開始

⋮

○

必ず分単位で、行為の内容を
細かく記入していくこと

そして、「始業」と書いていても、「席に着く」「パソコンを立ち上げる」「お茶を淹れる」といったさまざまな動作をしている時間が含まれ、9時のその瞬間から仕事が始まっているわけではないことに気づくでしょう。

空白の時間が一人平均1日5時間ある

ここまで正確な記録は今までに取ったことがないかと思いますが、できれば最初は1ヶ月、**少なくとも1週間はがんばって続けてみてください。**

自分の作業を繰り返し繰り返し記録していくことで、徐々に自分が1日のうち何をやっているか、ひとつの作業にかかる時間が正確に読めるようになってきます。

ダイエットでもここ最近はレコーディングと言って、ただ食べたものや動いた内容を記録し続けるだけでやせる、という効果が知られていますが、時間の管理も同じことが言えます。

本当はGoogleカレンダーでスケジュールを立てる前に、自分の時間を記録することをしばらく続ける方がいいのですが、ここでは並行して記録していきましょう。

こうして記録していくと、作業と作業の間にいくつもの隙間の時間があることがわかってくるでしょう。

それから、仕事をしていると思っていたけれど、実態は直接の仕事につながっていないことがけっこうあるということもわかります。

例えば、ネットで何かを調べているうちに、いつの間にかリンクをたどってネットサーフィンをしていて、その時間を全部足していくと、1日2時間とか3時間以上ネットを見ることに費やしている人もいます。

ただ「ネットで調べる」と行為自体を書くのではなく、正確に「〇〇について調べる」「△△を検索」「××の記事を読む」といった具体的にやっていることの内容を記録すると、仕事につながっていない時間がどれだけあるのか見えてきます。

そうした時間も空白の時間としてカウントし、隙間時間を合わせると、結果的に仕事の時間の中でも**一人平均5時間くらい、仕事をしていない時間が見つかる**のです。

Fくんが毎日4時間も残業しなければならなくなった理由も、これでおわかりですね。

本来の仕事以外の時間を圧縮しよう

隙間の時間はこのあとの11日目で詳しい活用方法をお教えしますので、とりあえずここでは触れませんが、仕事につながらない空白の時間は、極力その時間を減らすことでぐんぐん仕事がスピードアップします。

まずは記録した時間の中で、「トイレに行く・帰る」「隣の人と雑談」といった仕事以外の行動をピックアップしてみて、その時間が累計でかなりの時間に及ぶようなら、行動を見直してみた方がいいでしょう。

トイレに行くだけではなく、トイレで会った人とつい話し込んでいたり、女性なら化粧直しを何度もしていたりといったことに時間を費やしていませんか?

そんなに長く話していないつもりでも、同僚との話が盛り上がると5分や10分の時間は経っているものです。

記録をしているとだんだん時間意識が生まれるので、「トイレに行くなら何分で済ませる」といったように、行動にかける時間が正確になってきます。

そうなれば、仕事外の時間が最低限で済むようになってくるでしょう。

次に、分単位で仕事の内容を細分化してみると、本来の仕事の前の準備や後始末、ものを取り出したりしまったりする行動、何かを探したり移動したりといった時間が、かなり多いものだと実感するはずです。

多い人だと、実際の仕事にかかっている時間はほんの少しで、それらの仕事に付随した時間の方が大半になっていたりします。

もちろん、そうならないようにこれまでのレッスンで、ものを整理したり、データ化してすぐわかるようにしたりとやってきたので、以前よりはかなり改善されていると思いますが、さらにその時間を減らすべくチャレンジしてみましょう。

例えば、私は数多くの成功者と呼ばれる方を見てきましたが、皆が皆、歩くのがとても速いのです。彼らと一緒にいると、一般の人たちの歩くスピードがとても遅く感じられます。

実を言うと、私も多くの人たちと接しているとき、**すべての動作がまるでスローモーション**のように感じているんです（笑）。

仕事に付随した作業や動作はできるだけ圧縮できるように、まずは一つひとつの動作をすばやくしてみましょう。

これだけかかると思っている時間は思い込みにすぎない

動作を早くするように、と言っても、自分がやっている動作は長年それで慣れてきたものですから、そんなものだと考えて、意識しにくいかもしれません。

先日生徒さんたちと鍋パーティをやったとき、用意し始めてからなかなか鍋が来ないので、何をしているんだろうと見に行ったら、白菜などの葉を1枚1枚丁寧に洗っていて、全然準備が進んでいないということがありました。

しかも、別にあせる様子もなく、普段準備するのに1時間半くらいかかるので、もう少し待ってくださいと言うのです。

「私がやれば、10分でできる」と言うと、みんなびっくりしていたので、実際にやって見せたら本当に10分かからず準備できました。

特別なことをしたわけではありません。普段から一つひとつのスピードと次の行動に移る間の時間について、短くしようと意識しているだけなのです。

このように、当たり前にこのくらいは時間がかかる、と思っていることも、実は間違いで、すべてのことがもっともっと時間短縮できるものなのです。

女友達と旅行に行くと、朝の支度に1時間半かかると言ってもたもたしている場合が多いのですが、**私なら5分で終了**です。そういう風に普段から訓練しているからです。

企画書作成には2時間かかると思い込んで、いつも2時間を取っていても、本当はそれだけの時間が必要ではないかもしれません。緊急を要する社長へのプレゼンに間に合わせるため30分後に提出しなければいけない、といった状況に直面した場合、30分でやり遂げられるものです。

さらには、**時間をかければいいものができる、というわけではありません**。

また食事のエピソードになりますが、以前にとても料理上手と言われる方のおうちにお邪魔して、ご馳走になる機会がありました。でも、3時間も待ってやっと出てきた料理は、待たされたことも考えると、それほど素晴らしいものには感じられませんでした。

もし同じ味の料理をもっとすばやく出されていたら、ずっと価値が高まったでしょう。たとえそこそこの味でも、ぱっとすぐ出された方が実はうれしいかもしれません。

たいていの人は時間はいくらでもあると考えて、「この作業には○時間が必要」と思い込んでいます。思い込みをはずして、もっと短い時間でその作業ができないかやってみたら、同じ仕事でもきっと評価は上がるでしょう。

日常作業のすべてを加速する工夫を考える

動作を早くするためには、時間を計ることが有効です。

歩くときはストップウォッチで計測、作業時間を設定してアラームを鳴らすなどで、どれだけ時間を短くできるか、日々挑戦していきましょう。

私は**時間を計ってタイムを縮める**というのが好きで、仕事以外にも子どもの離乳食を10分で作れるかなど、ちょっとしたことでも**ゲーム感覚**でよくやっていました。

「時間内にこの作業が終えられなかったら、お昼は抜き」のように、自分に軽いペナルティを与えて、やる気を起こさせるの楽しいものです。

あとは、段取りを考えたり、一つひとつの作業をどう効率化できるかという視点を持ち、些細なことでも現状に甘んじず、最速でできるやり方を常に考えることです。

先日セミナーを開催したときに、私の会社のスタッフに「机の配置をコの字型に直して」と頼んだところ、15分くらい時間がかかって驚きました。

見ていると、少し考えてから（机をどう動かすのか考えていたようです）、とこと こ歩いて机のそばに行き、「○○さん、反対側持って」と○○さんを呼んで来てもらって……ということをやっているのです。

時間がかかるのは、根本的に歩くのが遅いのと一つひとつの動作がスローモーなのもありますが、机は2人で運ぶものですから、自分が動いてからもう一人を呼んで移動させるのでは当然時間にロスが出る、ということを考えていないからです。

段取りを考えてから行動すれば、同じ作業でも驚くほど時間がかかりません。

引越しのときに、引越し業者さんがものすごい勢いで荷物を詰めたり運んだり、といった動きをしているのを見たことがあるかと思います。普通の人がやると1日中かかりそうなことを、彼らはほんの数時間で終わらせます。

動きにムダがなく、効率のいい方法を考えて行動していれば、日常のあらゆる動作がすばやくなり、その分時間が生まれるのです。

空白の5時間を勉強のために当てよう

このように、自分の時間を正確に計って意識していくことを続けていると、やがてひとつの作業にどれだけの時間がかかるかが読めるようになってきます。

だいたい1ヶ月計り続けていると、想定した時間との誤差がなくなってくるはず。

ビジネスで成果が出ている人たちに時間の使い方を聞いてみると、**仕事のための勉強に当てている時間がだいたい1日トータルで5時間くらい**というのが平均です。

5時間というと、かなりの時間を割いているように感じますが、前述したように一般のビジネスパーソンはだいたい毎日平均5時間の空白の時間があると考えられます。

その5時間分を日々勉強に当てれば、格段に仕事がレベルアップするのは当たり前ですね。

空白の時間を削れば、残業をしないと終わらなかった仕事も定時で片づき、その後はスクールに通ったり、本を読んだり、セミナーに行くことができます。

さらに仕事の間も、やるべきことを早めに終わらせられれば、ネタとなる情報を集めたり、新しい企画を提案するための下調べをしたりと、**将来につながる準備**を日々やることができます。

いつも仕事でいっぱいいっぱいで、将来のための勉強なんてやる暇がない、と思っている人ほど、実際にはムダな時間がたくさんあるものです。

年収が高い人と低い人の差は、毎日直接やらなければいけない仕事以外に、日々の勉強をどれだけやることができるかにあります。

今の情報革命の時代は、これまでにないスピードで社会が動いているのです。今の仕事だけやっていては、将来どころか現状のビジネスの動きにもついていけない人材になってしまいます。

ムダな時間を自覚して、それらを減らした分、勉強の時間に当てましょう。

では、ここまでで自分の時間を把握するためのレッスンは終了です。
自分の時間が正確に読み取れるようになれば、時間の整理ができたということです。
それまでは、今日のレッスンは毎日繰り返し行ってください。

Fくん、
時間を書き
出すことで
なんと1時間も
時間の短縮に成功！
ムダ
ムダ
ムダ
18時30分に
帰れるぞ。
空いた時間で勉強し
とうとう
資格試験に
合格。
ワーイ
合格
資格手当が
月2万円！

day 10 日目

定型化で時間を生み出す

仕事の大半は定型化できる

9日目のレッスンで、日常のあらゆる動作を短縮する工夫をしましょうとお教えしましたが、時間を縮めるのに役立つのが、**定型化**です。

毎日の仕事を記録してみると、同じようなことを繰り返していることが多いとわかります。

メールのチェックや返信、毎月発送している請求書、取引先への提案書の作成、会議の企画書作り……。

そのつどやっているように見えることでも、定期的に同じ作業が発生し、トラブルでもなければ1日の大半の業務が、毎日似たような作業で埋まっている場合もあるのです。

時間がないと言っている人を見ていると、そうした決まった仕事のたびに、一から書類を作ったり、一つひとつ丁寧に対応していたりで時間を費やしていることに、自分自身が気づいていません。

作業を効率化するという視点では、**繰り返しの仕事には定型化したパターンを当てはめるのが有効**です。

定型化の代表は、書類を**テンプレート化**すること。

企画書や提案書、その他の事務的な書類に関しては、大半がフォーマットが決まっています。いつも作るような文書はテンプレートを作っておき、個別の要素を入れるだけですぐ作れるようにしておきましょう。

これまでテンプレートを作っていなかったような書類も、テンプレート化できないか、すべて意識してみましょう。

整理して考えることで定型化できることを見つける

見積書や送付状、各種の案内など、テンプレート化しやすい書類に関しては、さすがに一から書類を作り始める人は少ないはず。

でも、一見定型化できないと思っているものでも、頭の中で情報を整理してみれば、**テンプレートを作って作業を効率化する**ことができることも多いのです。

私が運営しているオンラインスクールではいろいろな講座を用意していますが、それらのマニュアルをスタッフが作成したときのことです。

講座が始まる時期はそれぞれ違いますが、マニュアルのデザインはフォーマット化できるので、ヘッダーとフッターの画像を差し替えて、講座名を変えれば、新しい講座のマニュアルができます。

しかし、スタッフはそのマニュアルデザインを講座が始まる前に、一つひとつ毎回デザイナーに頼んでいました。そのたびに1週間のロスです。

これを単品で依頼するのではなく、シリーズでのデザインとして頼んでおき、講座ごとに画像だけ新たに作ってもらえば、どれだけ時間が浮いたでしょうか？

画像を3パターン作るだけだったら、早い人で15分程度。それをデザインフォーマットに流し込んで調整するのに15分、一度デザインを作っておけば、合わせて30分でひとつの講座のマニュアルデザインができるのです。

それが、一つひとつ単品でデザインを作ってもらっていると、そのたびにひとつのマニュアルデザインに3時間かかり、さらにそれをチェックして修正したりしているうちに、あっという間に1週間が過ぎていく、というわけです。

こうした小さなことの積み重ねが、あなたの時間を大幅に奪い、いつも余裕のないいっぱいいっぱいな状態を自ら作っているのだという現実に、まずは気づいてください。

何だ、そんな簡単なことならあらかじめシリーズとして発注するに決まっているのに、と思うかもしれませんが、人のことは見えても自分のことは案外見えていないものなのです。実際の仕事で、こういう効率の悪いことが頻繁に起こっているから、仕事が遅くなるのだと自覚しなければ、決して改善はできません。

今回のケースでも、半年先までの講座のスケジュールをGoogleカレンダーで共有・把握し、定型化する意識を持ってさえいれば、マニュアルデザインをシリーズとして発注するという判断ができたのです。

けれども多くの人は、頭の中が整理されていないため、仕事が発生した順番にその都度依頼をしてしまい、それがどれほどの時間ロスかに気づかないのです。

今までどれだけ余計な時間や手間や費用がかかっていたのか、例えば今回の件なら1週間かかるものと思い込んでいたことが30分にまで短縮できるのですから、すべての工程を今まで通りではなく、**改善できるという前提で工夫することが大切**です。

同じように整理して考えてみることで、日々の仕事で相当の時間が新たに生まれることがあると思いますので意識するように心がけましょう。

毎日返信するメールは決まった文面でOK

仕事で毎日同じようなことを繰り返しているといえば、一番多いのはメールではないでしょうか。

1日のうち、メールの返信をするだけで、2時間や3時間取られている、という人もいるようですが、とてももったいないことです。

メールの中で本当に重要なものは、1日1通か2通です。

私は1日200通くらいメールが届きますが、重要なものは5通程度です。それ以外は、定型的な文面をパパッと見た順に返信するだけで、処理できるでしょう。

このことに気づいたのは、私が最初にメールマガジンで「自宅で稼ぐ方法」を教え始めたときでした。毎日200通の質問や相談のメールが来て、それを1日ですべて、親身に返すためにはどうしたらいいか？　という問題にぶつかったのです。

どんどん返信していかなければ、仕事が滞ってしまいます。しかしせっかく相談してきてくれた人に、適当な返事をすることもできません。とにかくパッパッと動作スピードを上げて次から次へと返信していたら、決まった文面をいくつも打ち込んでいることに気づきました。これは時間短縮できる部分だ、ということに気づいたのです。

メール作成はコピペより短文登録でスピードアップ

メールの文面は基本的にテンプレート化し、こういう場合はこの文面、という定型を作っておくことでムダな時間が省けます。

その定型フォームの間に個別の用件を入れるようにすれば、相手に合わせた返信メールの出来上がりですが、ポイントはテンプレート化といってもいちいち文面をコピー&ペーストしないこと。

私がやっているのは、**短文登録**です。

「k」と打ったら「こんにちは」「こんばんは」「この度はご丁寧なメールをいただき、ありがとうございます」「今後ともよろしくお願いいたします」、「m」と打ったら「メールいただき、ありがとうございます。」「misato@yugacelebrity.co.jp」「メルマガにご登録いただき、ありがとうございます。」「メルマガをお読みくださってとてもうれしいです」といった文章がすぐ出てくるようにしてあります。「あ」と打ったら「ありがとうございます。」「ありがとうございました。」「アンケートにご回答いただき、ありがとうございました。」という具合です。

コピペよりも、この短文登録の方が断然早くメールを作成できるので、ぜひ今日からやってみてください。

短文登録機能は、いちいち登録するのが面倒くさい、1つか2つ登録してあれば十分、という人もいるようです。

でも、あとの効率を考えれば、登録にかかる手間は問題にならないと思います。登録してある短文のストックが増えれば増えるほど、メールを書く時間が減らせますから、どんどん登録してください。

登録する基準など考えなくても、メールを書いている最中、**短文登録していない文面に出くわしたら即登録**してしまいましょう。私は2回以上使うと思った文面は登録することにしています。

それも、単語まで入力しなくても「k」とか「m」のように、ローマ字入力なら最初のキーを打っただけで、文章が出てくるようにしておくことです。

登録した文章が増えてくると、ちょっとキーを打っただけで、たくさんの文面が候補に出てくるようになりますから、そこから文面を選べば打ち込むよりずっと早くメールを返信できます。

ひとつのキーに5個くらいの候補が出てくるようにしておけば、迷うことなくパッと目視で文面を選べます。

1日中ずっとメールチェックはしない

メールの返信はテンプレート化、短文登録が定着すれば、どんどん早く返せるようになりますが、メールのチェックを1日中ずっとしているのはやめましょう。

せっかくパソコンに向かって集中できる時間を取れるのに、その時間を随時メールチェックに使ってしまうのは非常にもったいないことです。

集中して取り組む仕事の合間の隙間時間に、ざっとチェックをして、見た順にパッパッと返信をしていくだけで**毎日1時間は節約できる**でしょう。短文登録してあれば、今まで5分かかっていた1通のメール返信に10秒程度しかかかりません。

一方、こちらから重要な用件や何か調べてからメールを送りたい場合は、Ｇｏｏｇｌｅカレンダーに用件とメールする相手のアドレスをコピーして入力しておきます。確認事項をチェックしてから返事をする、修正を依頼する、などの用件も一緒に、Ｇｏｏｇｌｅカレンダーに記載してください。それが済み次第、書いてあるアドレス宛にメールします。

逐一メールをチェックしていないと不安という人もいるかもしれませんが、**メールをチェックする時間をある程度決めておき、その時間に一気に返信しておけばたいていのことは大丈夫**です。

朝晩2回、心配なら昼も入れて3回、隙間時間にメールチェックのタイミングを取って、すぐ返信するというルールを決めておくといいでしょう。

大事なのはこうしたルールがないと、1日中メールチェックして返信するだけで仕事が終わってしまいかねないということです。それでは、本来の仕事に取り組むことができません。

基本は集中しなければいけない時間にはメールは見ない、それ以外にメールをチェックできるようなときは即レスする、というルールを守ること。

同じような業務はまとめてやる方が効率的ですから、メールの返信はその都度やるよりも一気にまとめてやる方がいいのです。フェイスブックのメッセージも同様です。

さて、今回は業務の中でも大半を占める、繰り返しの仕事やメールについて、定型化することでムダな時間をなくすことをレッスンしました。

一見地味なテクニックですが、これをきちんとできるようになると、驚くほど時間が生み出されます。

ぜひ、今すぐ試してみてください。

それでは、今日のレッスンは終了です。

定型文
定型文
定型文
よく使う文…
Fくん、短文登録に手間取って1カ月かかったけど
その後は1日30分も
浮く事に！
メール返信楽になった！
会社に短文登録の
運用を提案して
報奨金3万円をゲット。
短文リスト

day 11日目

隙間時間の活用

「5分でできること」を処理する

9日目のレッスンで、毎日細かく正確に時間を計ってみると、仕事をしていると思っている時間にも数多くの隙間時間があることがわかったと思います。

このときのレッスンでは、**余計な隙間時間を極力削っていくやり方**をお教えしましたが、それでもどんな人にでも5分や10分の空いた時間というのはどうしても出てくるものです。

例えば、会議や人と会う前の待ち時間、話し中だった人へ折り返し電話するのを待つ間、次の場所への移動時間など……。

これらは、積極的に活用すべき隙間時間として、毎日フルに使ってしまいましょう。

まず最初に、この時間を使ってやるのは、2日目にお教えした書類の分類で「5分でできること」としてリスト化したことです。

デスクにいて5分後に折り返し電話をかけるまでの間、時間が空いたと思ったら（ちなみに、こちらから「折り返し電話をください」と頼むのはいけません。自分の大切な時間が中断されてしまうからです）、即リストを取り出して、パパッと上から、もしくは重要度が高いもの、期日が近いものから順に、3つくらいやってしまいましょう。

電話するのを待つ間に、次の仕事に取り掛かってしまうと、途中で一度中断してしまうことになります。それでは集中して取り組めませんから、次にやる仕事をずらして、「5分でできること」を処理する時間として頭を切り替えましょう。

だいたいこうして、**1つの隙間時間に3つくらいずつリストの項目を処理していくようにすると、1日が終わる頃にはかなりリストも減っている**はずです。

会議の時間は雑務にぴったり

デスクにいないときも、隙間時間は発生します。むしろ、デスクにいないときの方が多いかもしれません。

一番活用できるのが、会議の時間です。

全員集まって会議の開始を待つまでの間、何もしないでいるなんてありえないことです。この時間は絶好の活用タイムですから、どんどん雑務をやってしまいましょう。メールのチェックと返信、ちょっとした調べものなど、この間にできることはかなりあります。この時間ですべての雑務が終わると言ってもいいくらいです。

会議の最中も、何もせずに聞いているだけの人が多いですが、ノートパソコンを持っていればその間にも仕事ができます。

もちろん、自分が中心となって開催している会議などは会議に集中すべきですが、同じことをダラダラと繰り返したら配られたレジュメを読んでいるだけ、というムダな会議も多いもの。最初に会議のレジュメや資料が配られたら、パッと見て把握し、残りの時間を自分の時間として仕事をしてしまいましょう。

慣れてくれば、会議の議事録を取りながら、仕事をすることだってできます。前回のレッスンでやった、メールの短文登録を使えば、4クリック程度でメールの返信ができますから、メールチェックと返信はこうした時間にやるのがいいでしょう。

会議が頻繁にあって時間が取られる……と嘆いている人は、何も考えずに会議に身体を拘束されている状態です。**身体は拘束されていても、頭を使うのは自分の自由ですから、ムダなく活用してください。**隙間時間として活用できることを考えれば、けっこう会議だっていいものです。

打ち合わせ中もメールは返せる

一対一での人との打ち合わせも、見つけようと思えば、会議と同じように隙間時間が見つかります。今はノートPCを使った打ち合わせが主流です。また会社の会議などでもノートPCを持ち込み、データを用意しておくこともあります。

どんなに集中して話していても、ちょっとした会話の途切れる瞬間はありますよね。その瞬間にメールチェックし、もしすぐに返信すべきような用件があればその場ですぐに終わらせてしまうのです。

短文登録によって**4クリックで返信できる状態**を作っておけば、しゃべりながらでも返信することはできます。

また、打ち合わせの中で、誰かに何かを確認する、通知するといった話が上がったら、その場ですぐ電話する、電話が通じなければ留守電に入れてメールを入れておく、といったことも、打ち合わせの最中にやってしまいましょう。後でやっておきます、は時間のロスでしかありません。

昔は、人と話しているときは集中して聞かなくてはいけません、携帯をいじったりするのはマナー違反、というのが常識でしたが、それはゆっくりと時間が流れていた前時代の常識であり、今は打ち合わせしながらもさり気なく付随した別の仕事を片付けるのが、できるビジネスマンの必須条件となっています。また以前よりそうしたことに対してかなり寛容になっていると感じます。

会議中でも緊急の電話がかかれば、携帯に出ることも当たり前になっています。

現代では、マナーよりも仕事の効率を重視するというのが、新しい常識になりつつあるのです。

そうした中、旧態依然として会議や打ち合わせの時間に、早く授業終わらないかなと待っていた学生時代のように、ボケっと会議の席にいるだけ、という人は、効率が悪く、貢献度が低い人間と言えるでしょう。

相手に不快感を与えないよう最低限のマナーは守りつつ、積極的に人と会う時間も自分の時間として活用できないか考えてみましょう。

通勤時間は勉強、メールチェックに有効活用

隙間時間としてはかなり長いにもかかわらず、通勤などの移動時間も、活用している人が少ないのはもったいないことです。

お金持ちと言われる人が移動のときにタクシーに乗るのは、お金が有り余っているからではなく、**移動中の時間を有効に使いたい**からです。それだけ、移動時間は長く

て貴重なのです。

歩いている間は何かを聴くことで勉強の時間になります。

私もポッドキャストの教材を作っていますが、最近はこうしたポッドキャストや音声での学習教材が豊富にありますから、これらを聴くようにすれば、別途勉強の時間を取る必要がなくなります。

ただ音楽を聴いていたり、ぼーっと電車を待っているだけ、というのはまったく時間のムダです。

もし通勤時間が片道1時間だったとしたら、帰りの時間と合わせると、**合計1日2時間をムダにしている**ことになるのです。

前回のレッスンで、メールチェックにまとまった時間を取る必要はない、ということを書きましたが、例えばこの時間をメールチェックに当ててもいいでしょう。

朝、1時間かけてメールチェックし返信しておけば、会社に着く前にメールに関する仕事は終了し、その分本来の業務にすぐ取り掛かることができます。

あとは、会議や打ち合わせの合間の隙間時間にメールチェックと返信をするだけで、まとまったメールチェックの時間を取る必要はなくなるのです。残ったメールは、帰りの時間で処理しておけばいいでしょう。スマホは短文登録しなくても、一度打ち込んだ文章が自動で出てきてくれますから、かえって早く返信できたりしますし、Ｇｍａｉｌを使うことでパソコンでも返信が確認できます。

電車に乗っている人を見回すと、ほとんどの方が暇つぶしにゲームやＬＩＮＥなどでチャットしているだけ。その時間を、本を読んだり、ポッドキャストを聴いたり、あらかじめメールをチェックする時間に当てておけば、ずっと仕事が効率化します。**ほとんどの人がやっていないことをあなたがやれば、それだけスキルに差がつくのは当たり前**ですね。その差が年収の差となっていくのです。

ちなみに、最近はメールよりもフェイスブックやＬＩＮＥなどが人との付き合いの中心になり、１日中チェックしている人も多くなってきましたが、こうしたＳＮＳも基本的には、すべて隙間時間にチェック＆返信しておくもの。

たとえ付き合い上必要だからと言っても、仕事中に逐一チェックして、それだけで時間がかかってしまうというのでは仕事になりません。次の会議に移動する間に、さっと見て「いいね！」をたくさん押しておくだけで、こまめにチェックしている人と思ってもらえます。

昼休みは調整に使える

基本的には、今日中にやることはすぐその場でやってしまうのがいいと書いてきましたが、どうしてもその場で終わらないことが出てきてしまったとき。

そんなときにも、隙間時間が使えます。

えっ、もちろん隙間時間も活用してやっているけど、それでも終わらないから困っているのに……という人は、まだ残っている時間があるはず。

お昼ご飯の時間になったら、昼休みがありますね。その時間に、残ったことを片づけてしまうのです。

そんな時間まで仕事するなんて……と思っている人は、まだまだ**仕事に対しての意識が低い人**です。

私は経営者ですから、人を雇って給与を支払う側の視点で厳しいことを言うと、効率が悪く、仕事が定時に終わらない人は休む資格がないと言えます。

休み時間はしっかり取るべきというのは、雇われている側の考え方で、給料を支払う側にしてみると、給料とはその人の成果に対する報酬ですから、給与以上の成果を出していないのであれば、休み時間だの休暇だのと言っている場合ではありません。

ですから、もし今日中の仕事が進んでいなかったり、すぐやるべきことが終わっていなければ、**昼休みに調整すべき**なのです。この考え方を身につけない限り、仕事ができる人にはなれないし、収入も上がらないでしょう。

もちろん、身の回りや時間や頭の整理をすれば、休み時間を返上する必要もなくなりますし、そのために本書があるわけです。

あとでやるより隙間時間に終えれば楽

ワークライフバランスなど、オンオフをきっちりつけて、休むべきときは休みましょう、という考え方が主流ですが、私はやるべきことができないのに休むというのは賛成ではありません。

この考え方は経営者としてだけではなく、実は子どもの頃からの習慣なのです。

私は子どもの頃、教科書を全部学校に置いてきていて、うちでは何も勉強をしませんでした。

というと、まるで**勉強嫌いの不良少女**のようですが（笑）、実は宿題などのその日の勉強はすべて、休み時間に終わらせていたので、うちではする必要がなかったのです。

そのおかげで帰宅してから、自分の好きな小説を書いたりすることにたっぷり時間が使え、成績も悪くありませんでした。


予備校で生徒を教えていたときも、私は「うちで勉強しなきゃ、と思うと遊んでしまうから、予備校にいるうちにやってしまいなさい」と教えていました。

「やらなきゃ」と思わなくていいように、その場ですぐやることが大事なのです。

私の場合は、休み時間に宿題をやってしまえば、うちに帰ってから宿題を「やらなきゃ」と気になって好きなことを楽しめない、ということがなくなるから、すぐやっていました。

10分、15分程度の休み時間でも、6時間授業なら5回分、まとめれば1時間前後の時間になります。これで足りない分は、授業中にちょっとやっておけば、その日の宿題、復習、予習とほぼできます。

あとでまとめてやろう、と思うとたまってしまって億劫になるだけ。自分の自由な時間も生まれません。

隙間時間にやるべきことをやってしまうのは、**結局はあとで自分が楽になるため**なのです。

成功者になるには雑務をやらなくていいわけではない

ここまで、隙間時間の活用を紹介してきましたが、基本的には**「雑務はすべて隙間時間に処理する」というのが鉄則**です。

そして、デスクに向かっている集中している時間には、そうした雑務のことはきれいさっぱり忘れること。

大事な仕事をしている最中にも雑務が頭の中に残っていて、頭がクリアになっていないから、ミスをしたり、いいアイデアが生まれなかったりするのです。

お金を生むためには、まずベースとなる時間が必要です。たくさんの情報、ネタから、自分独自のアイデアを生むには、時間がかかるからです。

しかも、そういう時間はわくわくして、あれもこれもやってみたいと思うような楽しい時間でないと、よいアイデアは湧いてきません。

雑務に追われている状態では、余裕がないのですから、そうしたわくわくする時間になるわけがありません。

「緊急性が高くても重要度が低いことは、手をつけなくていい」「緊急性が低くても重要度が高いことこそ、取り組むべき」という考え方を聞いたことがある人は多いでしょう。

ビジネス書の永遠のベストセラー『7つの習慣』(キングベアー出版)で紹介され、成功者になる秘訣として広くビジネスパーソンに知られている考え方です。

でも、**これをそのまま信じ込むのは危険**です。

「重要度が低い」からといって、「緊急性が高いこと」をやらないわけにはいきません。『7つの習慣』や他の成功本では「やらなくてもいい」としていますが、こうした本を書くような人は、それをあえてやろうとしなくてもすでにやってしまっているか、代わりにやってくれる秘書を雇っているだけです。

一般の人はその真似ができていないから成功本を読んでいるわけで、実際には「重要度が低くても緊急性が高い雑務」を次々にこなしていくのは**仕事上必須**のこと。問題は、それをいかに効率よく処理するか、そして本来取り組むべき「緊急性が低くて重要度が高い」ことができる時間を作り出すかということです。

そうしたときにこそ、隙間時間を活用していくのです。

隙間時間に確実に雑務を処理していくことで、本来の重要な仕事の時間に雑務のことをすっかり頭から追い出し、安心してたっぷり時間を取ることができるようになります。

逆にそうしたことができていないのに、重要なことをやるために無理に時間を確保してもムダです。

重要なことに取り組むためには雑務をこなし
頭をクリアにしておくことが重要

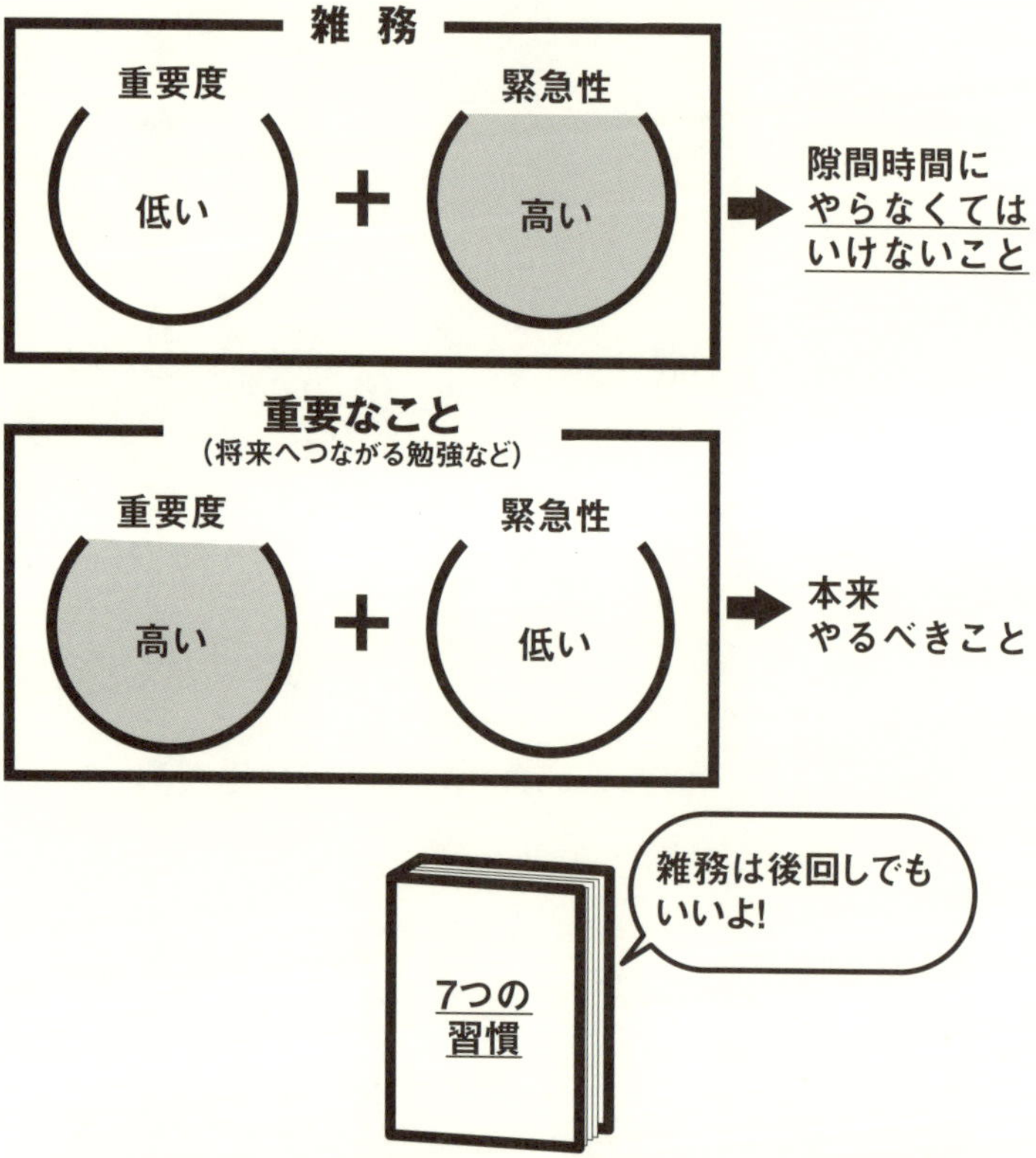

成功本では上の雑務は
後回しでいいので、下の重要なことに
取り組むことを勧めていますが、
雑務もやらなくては仕事にならないのが現実

目の前のことでいっぱいいっぱいの人が、とりあえずその時間だけ取り組んでも、大きな成果が望めるでしょうか。

重要なことに人一倍のアイデアや集中力で取り組むには、頭をクリアにして脳をフル活用できるような思考の環境づくりが欠かせません。

やらなければいけない雑務は、大事なことに集中するためにこそ、隙間時間にすべて処理して頭をすっきりさせておきましょう。

さて、ここまでで頭を整理し、すっきりするためのコツをひと通り学びました。

ムダな時間をなくし、効率化したことで、今までよりもずいぶん時間が生まれたはずです。

では、次のレッスンからさらにステップアップしたことを学んでいきましょう。

Fくん、「5分でできることリスト」が隙間時間に全部終了。
やり残しがなくなり頭がクリアになったので新商品の
アイデアが次々わいて3社合同プロジェクトのリーダーに任命。
社外との交渉も
行うため月々の
特別手当を
ゲットした！
給料
新商品
仕事時間３０分短縮。特別手当て月１０万円。

day 12

12日目 習慣化する

毎日同じことを繰り返すことで習慣になる

ここまでのレッスンでお伝えしてきたことをすべて実践していたとしたら、すでにあなたは1日5時間以上の新たな時間を手にし、以前よりもずっと仕事ができる状態になっているはずです。

すでに身の回りのことから頭の整理まで、大切なエッセンスはほとんどお教えしたので、これだけでレッスンを終えてもいいのですが、もうひとつ大切な要素をここではお伝えしたいと思います。

それは、**整理された状態を習慣化する**ということ。

習慣化していかないと、ここまで学んできたこともただ自分を通り過ぎていくだけで、結局身につかずに終わってしまいます。

では、習慣化するにはどうすればいいかというと、単純なことで、毎日同じことを繰り返すしかありません。

人は繰り返すことで習慣化できます。

1回読んだだけでは忘れてしまうことも、毎日何回も読めば、自然と覚えます。

だから本当は、1日目のレッスンだけ毎日やってみる、それを3ヶ月繰り返す、といったことを、これまでのレッスンすべてでやってみてほしいのです。

3ヶ月程度やっていけば、だいたいのことは習慣化します。

そうなったときに初めて、本書でお教えしたことが身についたと言えるでしょう。

1日の終わりに整理された状態を欠かさずチェック

習慣化するときに有効なのは、繰り返すことはもちろんですが、毎日状態をチェックしてみることです。

整理された状態は、注意していないとすぐにぐちゃぐちゃに戻ります。せっかく整えた机の周り、フォルダの管理、書類とスケジュールの関係……。最初はうまくいっていても、しばらく経つと、もしくは1日が終わる頃には、またずるずる片づかない状態になっていることも多いものです。

それを防ぐには、**1日の終わりに状態をチェック**し、把握しておきましょう。**毎日寝る前には時間を取って、少なくとも自分の状態を把握**してから寝るようにするのです。

どのフォルダにどんなファイルが入っていて、まだ整理されていないものがあるとしたら、いつそれを整理する時間を取るのか。今日の自分の時間の過ごし方にムダな時間はどれだけあり、どこを縮められるのか。

そうしたことを把握するだけの時間を毎日寝る前に取っておくように、Ｇｏｏｇｌｅカレンダーに1日の終わり30分を「毎日」「繰り返し」で入れておきましょう。

その時間に例えば、ファイルで整理されていない状態のものが「とりあえず」フォルダにいくつ入っているか確認し、それを整理する時間を計算して、あらかじめＧｏ ogleカレンダーに整理する期日を入れておく、といったことをしておきます。

寝る前以外にも、オフィスで仕事を終える前にも、必ずチェックの時間を持ちましょう。

机の周りが片づいていなければ、最初に定位置を決めたところにすべてものを戻し、直してから帰る、といったことを習慣づけるのです。

毎日チェックする時間がなければ、ちょっとしたことは明日でもいいや、となってしまいます。

整理された状態は、それが維持されていないと意味がありません。

ですから、毎日チェックを繰り返し、整理された状態を維持する、ということを習慣化しましょう。

習慣化するのは難しくありません。ただ、毎日繰り返すだけです。

それだけで、脳には常に整理された状態がインプットされ、それが当たり前だと感じるようになるのです。ただしそれがなかなかできない人が多いから、平均年収300万円時代になってしまったわけです。ラットレースを脱出するためには、ちょっと面倒でも、日々チェックの繰り返しで、整理された状態を習慣化してください。

朝はやることを把握するための時間を取る

寝る前と同じように、**朝起きてから仕事を始めるまでにも30分、整理するための時間を取っておきましょう。**

まず、朝はＧｏｏｇｌｅカレンダーで、今日、それから今週の予定をあらかじめ確認しておきます。

今日やることは、すべてこのときに把握できるので、あとはこの通りに順番にこなしていけば何も考える必要がありません。

やるべきことは、この**スケジュールの管理（把握）**と今日、もしくは今日以降に**30分以上時間を取ってやることとの洗い出し**です。やるべきことがあれば、どんどんＧｏｏｇｌｅカレンダーに入れてゆき、すぐに取り掛かれるようにしておきます。

前のレッスンでやったように、**通勤時間も立派な仕事時間**になります。

1時間でやることが決まっていれば、「メールチェック」「○○の本を読む」「××のポッドキャストを聴く」など、その時間も予定で埋めていきましょう。

それを確認してから行けば、通勤時間にぼーっとする暇もなく、すぐに予定をこなしていくことができます。

ただし、実際には1日が始まれば、やることは次々に新たに生まれます。

それらは、5分以内だったらすぐその場で処理するか、隙間時間にやってしまうので、あまり考える必要がありませんが、どうしてもその場ですぐできない場合は、5分でできることリストに記入するのを忘れないでください。

自分の時間が把握できるようになってくれば、どう時間をずらせば用件を処理できるのか、次第に計算ができるようになってくるので、大事なやるべきことをGoogleカレンダーの予定にきちんと入れておくことも習慣にしてください。

決めたことは必ず守る習慣を身につける

予定していたスケジュールがずれてしまった、という状態で1日が終わる……。

そういう日もあるよ、できなかったら仕方ない、というのは、残念ながらこのレッスンではなしです。

「できなかったらしょうがない」というのは絶対避けてください。

それでは、できなかった経験が当たり前になってしまって、せっかくの整理されたよい状態の習慣化が成り立ちません。

一度その日にやると決めたことは、昼ご飯抜きでも睡眠時間を削っても、必ずやり遂げてください。

回避して別な日に予定を動かし、まあいいやを何度も繰り返していたら、その仕事は一生終わりません。

決めたら必ずやるというルールを、自分の中に作って、それを絶対に守るのです。

すると、どんな些細な用件でも決めたことは必ずできる人間だ、ということが、自分の意識にインプットされて、習慣化されていきます。

そうすることで、人間は大きく変わるのです。

もしもその日は時間通りにできなくて、夜遅くまでかかってしまったとしたら、次は倍の時間を取ったり、さらに30分ずつ余裕を持ったスケジュールにしてみてもいいのです。

自分の時間を計り直して、やることをもう一度整理してみましょう。

大事なのは時間を決めたら、絶対に先送りしないこと。

最初は時間がずれてしまったり、昼休みや残業を使っていっぱいいっぱいになってしまっても、それさえ守ることを続けていれば、次第に顔つきまで変わってきます。

そうなる頃には、自然に仕事の力も上がってくるでしょう。

整理できないとよいアウトプットにつながらない

整理する習慣とは、ただ仕事ができるようになるというだけではなく、実は成功を目指す人であれば、必ず身につけなければいけないことです。

なぜなら、成功する人というのは、子どものときからずっと、圧倒的に自分にインプットする量が多い人だからです。

ただ、自分も成功したいから、今日からインプットする量をもっと増やしていこう、と思っても、普通の人はなかなか成功しません。

なぜなら、インプットする量を増やすと、整理ができなくなってしまうからです。

整理ができないと、なぜダメなのでしょう。

例えば、社会的に成功していて自分より上のレベルの層の人に会うというのは、自分を成長させるためにぜひやってほしいことですが、ただ会うだけではあまり意味がありません。

そういうレベルが高い人たちと会ったときに、どんな会話ができるのかが大切なのです。何も言えなければ誰も引き立ててはくれません。

そうした場で、価値を提供するようなことをポンと言えるようになるというのは、圧倒的な量をインプットしている上で、それを整理して、すぐにアウトプットできる状態になっているからこそできることなのです。

そうでなければ、肝心なときに気のきいた言葉が何も出てこず、相手の言っていることの意味も知らないことばかり、ということになり、**チャンスは一瞬で終了**です。

たくさんインプットしていても、重要ではないことまで全部覚えていようとすると、よいアウトプットができません。

そのために、**情報の整理**が必要になります。

整理する習慣を身につけていると、一度整理したら詳しい内容は、もう忘れてもいいので、次々とインプットができます。覚えているべきは、何をどこに整理したかという索引の部分だけ。どこを見れば詳細情報が掲載されているか知っていれば、アウトプットする必要があるときに、人よりもすばやく、よい状態で取り出せます。

そうすることでだんだんと、人に認められるようになっていくのです。

ここまでで、習慣化のレッスンは終了です。

整理された状態を維持し、繰り返し続けることで、自分の中に習慣化していくことを、ぜひ身につけてくださいね。

隙間時間利用
整理
アイデアのストック
Fくん、リーダーとして部下にあらゆることを習慣化させ
チームとして成長出来る体制を作る事に成功。
チームとしての
一体感も増し
ビッグプロジェクトで
大成功！
社長賞を獲得！
10万円の賞金！

day 13日目

自分をコンテンツ化する

年収アップできるのはコンテンツ意識がある人だけ

ここまでは、整理することで時間が生まれ、今よりレベルアップして仕事ができるようになる方法を学んできました。

これらがすべてできるようになった人は、さらに**自力でお金を稼ぎ出すことができるレベルへと、ステップアップ**していきましょう。

会社に大きな利益を上げられる人、たとえ会社を離れても自分で事業を興したり、他社からヘッドハントされるような人材とは、総じて**コンテンツ意識**がある人です。

コンテンツ意識とは、生活のすべてをコンテンツとして捉え、それらを常に蓄積して、いつでも使えるように、いつでも商品化できるように、意識していることを指します。

今よりも年収をアップするためには、情報化社会において、コンテンツ意識は欠かせません。

例えば、海外旅行に行って自分が楽しんだ、というだけではなく、海外でこんな面白いものを見た、という写真を撮っておき、独自視点の感想をブログにアップしておく。例えば、大行列の映画が公開されたとき、なぜそれがヒットしたのかを自分目線で書き綴っておく。例えば、オリンピックの選手村ができる場所を定点カメラで撮影しておき、ウェブ上から定期的に実況中継する。

それがいつか、**本の執筆依頼**につながったり、**新しいビジネスのタネ**として企画化されたり、**新商品開発**のときに参考にしたりできるかもしれません。

運良く成功者に会う機会を得たときに、面白い話題を提供でき、一目置かれるかもしれません。

しかも、常にコンテンツが整理されていれば、それを使いたいときに取り出せ、思うように使いまわすことができます。

意識を変えるだけで、自分が毎日接している何かが消費するだけのものではなく、有益な自分のコンテンツとして、生まれ変わります。

そしてそれらは、蓄積されていくことで、いずれ大きな力となるのです。

通勤時間に写真を撮るだけで人気サイトに

コンテンツとして蓄積していくものは、具体的には8日目で学んだ「ネタとなるもの」ですが、8日目のレッスンではとにかくデータとしてストックしておくことをお伝えしました。

しかし、稼げる人というのはそこから一歩進んで、ストックしているネタを何らかの形で、自分で発信できる人です。

ネタを発信すると言っても、有名人でもないし、毎日会社とうちの往復をしている程度でたいしたネタもないし……と尻込みしないでください。

どんな些細なことでも、まずは継続してネタを集め続けるのです。

今はブログやツイッター、フェイスブックなど、個人が発信するツールはいくらでもあるので、その気になれば誰でも全世界に情報を発信できます。

ただ、それらを継続してやり続けている人は少ないものです。ときどきイベントがあると写真をアップしたり、人と会食したときの写真を仲間内で見せ合ったりする程度が大半でしょう。

しかし、自分だけの視点を持ち、**毎日どんな些細なことでも当たり前にせずに「ちょっと待てよ。それって違うんじゃないの?」と問題提起し続ければ、やがてそれが貴重なコンテンツとして日の目を見る**のです。

ある人が毎日通勤の電車からディズニーランドの駐車場が見えるので、それを写真に撮って、日々Ｙａｈｏｏ！掲示板にアップしていました。

通勤時間にパッと写真を撮るだけ。ほとんど手間もかからず、特別どこにも行かずにためていったコンテンツです。

けれども、1年を通して同じ時間帯のディズニーランドの駐車場の混雑状況がわかる貴重なデータとして、大人気になりました。これにより、年間を通じて混雑する日や曜日が明らかになったからです。

自分にとっては当たり前と思っているようなコンテンツも、蓄積していけば、人が喜んで欲しがるような情報になりうるのです。

コンテンツ発信を続けることでチャンスが望める

このように、コンテンツになるものはどこにでも転がっています。

ただ、今までと同じ意識で過ごしていては、どんなにいいネタがあっても気がつきません。

それが、自分がコンテンツを発信しよう、と意識するだけで、あちこちにネタが転がっているのに気づけるようになるのです。

どこかに食事に行けば、「○○店のランチメニューの××は美味しかった。住所は△△……」とデータ化し、写真をアップ。本を読めば、逐一感想をアップ。

毎週末映画を観るのが趣味なら、「○○映画館で□□という映画を観た。評価は5

段階の4」といったレビューを毎週アップしましょう。

難しい批評をしたり、長く書くわけではないので、この程度なら誰でも数分で記録できるでしょう。

それらが少ないうちはただのメモでしかないかもしれませんが、100、200、1000個もたまってくると、だんだんデータとして価値が生まれてきます。

一人ではデータはたまらないかもしれませんが、他の人もあなたのサイトにアップできるような掲示板機能をつけてあげれば、加速度的にあなたのサイトのコンテンツはふくれあがっていきます。**自分でコンテンツ化するという意識**と、**他人にコンテンツを集めさせるという意識**、両方持っておいてください。

ポイントは毎日、繰り返し継続し続けることです。あなたが先導しなければ、他の誰かが勝手にコンテンツを増やしてくれるはずはないからです。

しかし、わざわざそのための時間を取る必要はありません。通勤時間などに、数分程度の手間でかまいません。

継続することで、ネタがコンテンツとして評価される価値になります。

そうなると、ある日何かの拍子に声がかかって、思わぬチャンスが生まれるかもしれません。

ディズニーランドの混雑状況がわかるサイトは、ディズニーランドに行きたい人にとって、有用です。だからアクセスが増えます。ウェブ上でアクセスを集められるということは、有用なコンテンツを提供している証であり、そのアクセスはウェブ広告を使ってお金に換えることができるのです。

自分なりの趣味のレビューを続けていたら、その道のプロとしてネットで評価され、その世界の著名人に会う機会が出てくることもあるでしょう。それが次の道を開くチャンスになります。

人気サイトひとつだけで、年収1000万円稼ぐ人もいます。

そんなバカなと思って、今まで通り何もしなかったら、それで終わりです。

コツコツと継続してネタをため続け、コンテンツとして発信している人だけが、何かの機会にチャンスをつかむ可能性があるのですから。

他人を喜ばせられるのは独自視点の情報だけ

自分がコンテンツを発信するとき、継続することと同じくらい大事なことがほかにもあります。

それは、**他人が喜ぶ情報**として、いかに見極めるかです。

どこかの駐車場を撮り続けていても、それが他の人たちに関係がなければ、誰にも喜ばれることのない情報で終わってしまいます。

多くの人が関心のあるディズニーランドという場所の駐車場であるからこそ、その情報に人々が価値を感じるのです。

今はフェイスブックなどのSNSで、誰もが他人の関心を引こう、「いいね！」を押してもらおうとやっきになっていますが、コンテンツ化するためには単純にその場だけ喜ばせればいいわけではありません。

例えば、フェイスブックで美人の写真をアップすれば、それだけで「いいね！」がたくさんつきますが、それは一時の快楽的情報であり、写真は見てもらえるかもしれませんが、投稿記事は読んでもらえません。

本当に価値が出る、他人を喜ばせる情報とは、**その先も知りたい、と思ってもらえるコンテンツ**なのです。

そこで大事なのは、自分ならではの**独自の視点**です。

どこかのニュースを引っ張ってきて、一時的にアクセスが呼べたとしても、それは誰が提供しても同じ、あなたでなくてもいい情報です。

この人の考え方面白いな、人と違うなと思ってもらえるような情報発信を続けるからこそ、コンテンツ化できるのです。

人がお金を払っても得たいと思う貴重な情報は、他に変えようのない1次情報だけです。すでに誰かが発信している2次情報をいくら集めても、その他大勢の消費者にすぎません。2次情報は自分の視点で組み替えて発言してください。

成功者がメルマガを出して売れるのは、その人が感じた1次情報を発信しているから。

自分だけの1次情報から、他人が喜ぶ2次情報を生み出せるのが成功者です。

あなたも、2次情報をただ享受するだけの人から、自分だけの1次情報を発信していく側に意識を変えていきましょう。

誰でも今日からできるランチ情報発信

それでは、実際に自分が今日からコンテンツを発信するとして、具体的にはどうすればいいでしょうか。

文章を書くのが好きな人ならブログがいいですが、毎日長い文章を書くのが苦になるようなら、フェイスブックやツイッターに投稿するだけでもOKです。

生活のすべてでネタを集めていれば、さまざまなことを発信したくなりますが、ここで大事なのは、コンテンツ化というのは何か**ひとつの絞ったテーマを決めなくてはならない**ということです。

とにかくこれから役に立つかもしれないことを集めているうちはネタですが、テーマを決めて発信するようになった時点で、それがコンテンツ化するのです。

自分には特に追いかけているテーマはないなあ、趣味の時間も今はあまり持てないし……という人でも、とりあえず今日から始められることとして、例えば職場のそばのランチ情報はいかがでしょうか。

ランチ情報と言っても、毎日ランチを食べに行くときに、そのデータをアップするだけです。

どうせ何もしなくてもランチを食べに行くのですから、わざわざ時間を取ることもないですし、ランチだったらどんなに趣味がない人でも食べには行きます。

アップする情報も難しい感想を書く必要はありません。ただ食べて美味しかったかどうか、値段がいくらだったか、店の名前と場所はどこか、そして料理があるので、必ず写真もアップできます。

それだけを**毎日毎日続けて、コンテンツ化の練習**をしてみてください。

そうしているうちに、自分の職場のそばのだいたいのお店のランチ情報がまとまっていきます。

もし、職場が丸の内にあるとしたら「丸の内ランチ情報」、秋葉原にあるとしたら

職場の近くのランチ情報を毎日発信しよう

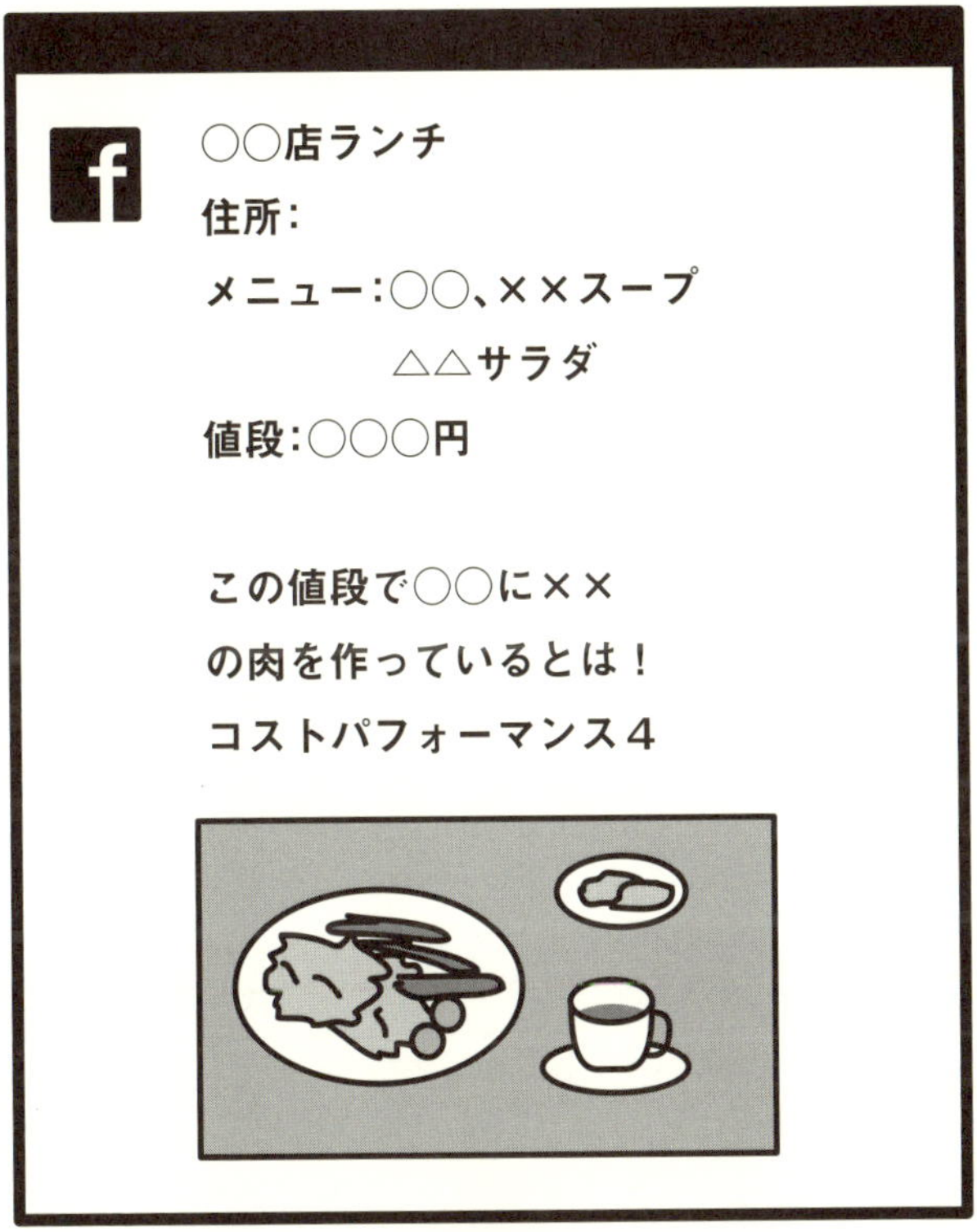
○○店ランチ
住所：
メニュー：○○、××スープ
△△サラダ
値段：○○○円
この値段で○○に××
の肉を作っているとは！
コストパフォーマンス４

丸の内ランチ情報の
発信者に！

「秋葉原ランチ情報」の出来上がりです。

ランチは誰もが食べに行くので、その界隈のビジネスマンにとっては喜ばれる情報です。

別に全国各地の名店を食べ歩きしなくても、高名な料理評論家でなくても、実際にその場で毎日食事している人の**生の感想と最新のデータこそが、必要な人にとっては大きな価値**になります。

それが1年、3年とたまってくれれば、その界隈のランチ情報コンテンツの発信者として一目置かれ、ビジネスマンや周辺の飲食店から声がかかるようになっても不思議ではありません。ここに更に、500円以下の、とか、500kcal以下の、のような条件をつければ完璧なコンテンツとなりますが、最初は難しいことを考えず、とにかく続ける習慣と、コンテンツ意識だけを身につけていきましょう。

ネタ集めはマーケティング視点で

ここでは誰もが簡単に作れるコンテンツとしてランチ情報を発信することを紹介し

ましたが、このように最初は気張らず、毎日接していて人が喜ぶようなことからコンテンツ化のテーマを見つけてみるといいでしょう。

さらに、いつコンテンツ化するかわからない、ネタとなるものを定期的に記録し続ける習慣は続けてください。

そのときのポイントとしては、自分が興味があるものは自分なりの考えを記録すればいいですが、たとえ自分が興味がなくても、世間で売れているもの、もしくは売れていないものに着目するといいでしょう。

これは、**マーケティングの視点を持つ訓練**になります。売れているもの、もしくは売れていないものは、その原因を考えることで、ものを売って利益を上げるためのネタとして役に立つからです。

例えば、帰りの通勤電車で疲れたからパズドラのゲームをやっていこう、というのは単なる消費者（ユーザー）にすぎませんが、パズドラがなぜこんなに流行っているんだろうという視点でやってみる、というのはネタの収集という点でアリです。

データとして、これまでに何万ダウンロードされ、ユーザー層は○歳代が多い、利益を上げている理由は有料のアイテム課金による、といったことは調べれば出てくるので、数字や事実だけGoogleのスプレッドシートに記載しておきます。

大事なのは、そこから先の自分の体験です。

「なぜ売れているんだろう?」という視点を持って、実際に毎日やってみると、自分がリアルに感じた売れる要因が出てくるはずです。熱中して何時間連続やってしまったとか、何レベルまでクリアしたら飽きてきたとか、そういった感覚は、控えておかないと忘れてしまうものです。こうした記録を残す媒体はブログが向いています。

売れているものは自分で体験してこそネタになる

パズドラがなぜこんなに流行っているのか、その理由はすでにいくつも報道されていますが、自分がやってみて感じたことこそ、コンテンツとして価値を生みます。

確かに報道されている通り、最初は無料でできるけれど、そのうち体力を回復するのに使う魔法石が欲しくなる。無料でも魔法石はもらえるけれど、苦労してゲットしたレアモンスターをゲームオーバーで諦めるのが惜しかった時に、たった85円で追加の魔法石がもらえるとなると、つい購入してしまう――。

そういった細かい実際の体験から、もし「売れている要因は、85円の魔法石を出すタイミングにある」と気づいたとしたら、それは大きな価値となるネタになります。

しかも、記録し続けることで、自分の体験した1次情報となる数字や感想が残っているので、〇日目までは無料の魔法石だけで遊んでいた、×日目についに85円の魔法石を購入、そのときに購入した理由は何だったのか？　→値段が絶妙だったから、といった理由の根拠となる詳細なデータを持っています。

これがあれば、仕事で販促用にゲームアプリを作ろうといった際に、パズドラみたいにゲームオーバーになる絶妙なタイミングでアイテムを出すと受けるはず、といった提案が自信を持ってできるのです。


ネットの受け売りで企画を提案するのは誰でもできますが、**自分が体験したネタは他に代えられないので強い力を持ちます。**

人が言っていることはその人の主観が必ず入るので、信じられるかどうかわかりませんが、自分が実際にやったことは紛れもなく信じられる**本当のネタ**だからです。

こうした自分だけのネタを定期的に記録し続けることで、確実にあなたは成功者の考え方に近くなっていきます。

自分独自の考えを持ち、世の中の物事を捉えられるようになってきたら、自分ならではのコンテンツを発信するのもそれほど難しいことではありません。

それまではとにかく、日々コツコツと、独自のネタを集めることを続けていきましょう。


それでは、ここまでで13日目のレッスンは終了です。

情報を整理する目的がコンテンツ化することだと意識すれば、どんどん頭の中が整理されていきます。

明日はいよいよ、成功者になるためには必須の、お金についてのレッスンです。

Fくん、パズドラが売れる仕組みのレポートで
部長に気に入られ昇進。月給3万円もアップ！。
念願の年収
600万円超え!!
はっ ヤバイ
パズドラ
はまってる
ミイラとりがミイラにならないよう注意(笑)。

day 14 日目

お金の整理

頭の整理ができるとお金の整理もできる

ついに、2週間のレッスンも最終日となりました。

最後に皆さんにお伝えしたいのは、本当にお金を稼げる、成功者と呼ばれる人が、どのような考え方でお金を使い、管理しているのか、その**お金の整理術**です。

本書でこれまでお教えしてきたのは、身の回りやデータから始まり、最終的には頭の中を整理するという整理術ですが、こうして頭が整理された状態になると、必然的にお金についても整理されてきます。

具体的に、毎月の生活費がどのくらいかかっていて、そのうち食費は何％、勉強代の割合はこれくらい、固定資産はどれくらい、流動資産がどのくらいあるのかといったことが、常に整理され把握できている状態になっているはずです。

Ｐ／Ｌとかポートフォリオとか、難しいレベルの管理でなくても大丈夫。**わざわざ家計簿をつける必要もありません。**

せいぜい子どものおこづかい帳レベルで十分ですが、自分のお金関係の数字も整理するためには記録する必要があります。

各金融機関の口座情報は、今は紙ではなくてすべてＰＤＦや表計算データとしてダウンロードできるので、月に一度データを整理すればいいでしょう。

表計算データならスプレッドシートにそのまま貼り付け、ＰＤＦなら月末の残高など必要な箇所だけ入力しておけばＯＫです。

自分が使ったお金も、現金の流れを入力するのは手間なので極力カードで支払うようにし、カード明細をデータで入手すれば、だいたい把握できます。

こうして定期的にお金の情報を記録していると、時間と同じようにムダな部分が見えるようになり、**自然とお金がたまっていく**ようになります。

いらないものを買うのは3重のムダ

成功者に共通しているのは、ムダなお金を使わないということ。

お金がいくらある人でも、時間と同じように、ムダなものには徹底してお金を使いません。

だいたい成功者は頭の中がすでに整理されているので、自分が持っているもの、必要なものは常に把握しているため、余計なものを買うということがありません。

必要なものがあればその都度買い、用が済んだらすぐ処分してしまいます。そうしていると、ほとんど食品や消耗品以外は新たに購入するものはない状態になります。

ショッピングが趣味、新しいものが出たらすぐ買ってしまう、といった人は、本当にそのものが欲しいというより、ストレス解消にものを買っているだけで、いくらお金が入ってもいつまでたってもお金持ちにはなりません。

また、買うということはお金のロスだけではなく、それを探したり選ぶ時間のロス、買ったものをしまっておく場所のロスと、3重のムダにつながります。

こうした**ムダを省く頭の整理**ができていると、買う前の歯止めになり、余計なものは一切買うことがなくなるのです。

買ったあとももったいないからと、ものに囲まれている人がいますが、これもまた余計なムダです。

一度使ってまた使うまでに1年以上あるなら、その都度処分し、必要なときに買った方が得です。もしくは、最初から所有するのではなく、割高でもレンタルにしましょう。

たとえまた使うことになって、新たに買いなおしたとしても、そのまま置いておく効率の悪さや、整理されない非効率の方が、もう一度買う出費のロスよりも大きいのです。

お金を払うべきなのは、ものよりも「体験」

では、お金持ちはどういうことにお金を使うのでしょう。それは、**ものではなく体験**です。

例えば、2万円で素晴らしいフルコースの料理を食べられるのであれば、躊躇なくお金を使って食事をします。

それはお金持ちだから、2万円を一晩の食事に使っても惜しくないのだろうと思うのは間違いです。

たとえ今あなたが年収200万円であっても、同じ2万円を余計なものに使ってしまうなら、その2万円で素晴らしく美味なフルコース料理を食べられるところに行って、食事をするべきなのです。

自分がお金を払って経験してみないと、今より上級の生活というのは知ることができません。つまり、そこには一生到達しないということです。

だから、たとえ今の自分にとっては厳しい金額を支払っても、**上級の生活を体験す**

る時間を作るのです。

そうすることで、今まで当たり前だったことが、当たり前ではなくなります。上級レベルの体験をしなくては、いつまでたっても上のレベルには行くことはできません。上昇志向があるかどうかは、体験に惜しみなくお金を使えるかどうかでわかります。

体験には、学習も含まれます。学習に関する出費は、自己投資とも言うように、**体験は自分に対する投資**なのです。

体験の他に何かお金を使うとしたら、買ってもいいのは、**あとでお金を生むもの**だけです。

例えば、単純に欲しい服を買うのは浪費ですが、仕事をうまくいかせるための服や、セミナー講演用の服なら、利益という形で返ってくるので投資になります。

また、あとで換金できるものは買っておいてもいいでしょう。家やマンションなどの不動産が代表的なものです。

車は実は一番ムダな出費です。小さな子どもがいないのであれば、車を所有するよりタクシーを使った方が断然得です。ただ、フェラーリなど希少価値がある車は換金性が高いので買ってもおいてもいいでしょう。

投資にならないものはできるだけ購入しないか、どうしても必要ならレンタルで手に入れましょう。

あとでゴミになるというものをどんどん購入してしまうと、身の回りの整理ができなくて頭も整理されません。それでは、成功者にはなれないのです。

財布にポイントカードがある人はお金がたまらない

お金持ちは買い物をする際も、ムダやゴミをどれだけ省けるかという点に気を配っているものです。

まず、財布の中にポイントカードがたくさん入っている人は、それだけで運気が下がるので、すぐ処分してください。

財布の中にお金以外のものが入っていればいるだけ、それらは余計なゴミですから、お金がたまらない人ということになります。

特にポイントカードは、「小銭拾い」と言われるものの典型。小銭拾いとは、小銭を得たいばかりに自分の労力や時間をロスすることです。

だいたい自分がポイントカードを使う際に、「このカードあったっけ？」といちいち探している時間のロスを考えれば、ポイントで得る数円などどうでもいいことです。

時間を1秒でもムダにするものは、最初から作らないのがベスト。

時間だけではなく、それを入れておく場所もとりますし、何より「この店のポイントカードあったかなあ……」などと余計な雑務に頭を使うことで、大事な体験やスキルアップに頭を使う余力が減ってしまいます。

どうしてもポイントカードを持つとしたら、高額な商品の店、頻繁に行く店だけを厳選しておきましょう。年に数回とか月に一度行く程度ならきっぱり断ります。

今は何かを買うのもネットが多くなっていますが、検索するといろいろ出てくるので、つい値段やものを比較してあれこれ検討してしまいます。

一見賢い買い物のようですが、これもやめた方がいいでしょう。

お金持ちになる人は、自分がいると思ったら検討することなく、感性で選んで即決します。

購入を決意するまでに2時間も3時間もあちこち調べて、結局3000円安く買えるよりも、その2~3時間を貴重な勉強の時間に当てた方がずっといいのです。

だから、選ぶ自信がなかったら、検索で出てきた一番上の商品を迷わずクリックして購入しましょう。

世の中で一番大切なものは、今や時間です。

笑い話で、昔あちこち特売店を回って1000円安く商品を購入した節約奥さんが、実は交通費を計算すると安くなった分より高くついた、という話がありますが、今の時代はネットだから交通費はかかりません。しかし安く買おうとして時間を失う方が、結果的によっぽど高くつきます。

自分にとっての優先順位は何か

もし本当に成功者になりたいなら、世間的な常識だけを信じていてはいけません。

成功したいなら、まずお金をためなくては、と思っていませんか?

実はそれも間違いです。

結婚するなら100万円ためてから、結婚したら子どもが生まれるから教育費を考えてさらに毎月○万円ためて……といったライフプランがしっかりしている人ほど、成功者なのだと考えているかもしれませんが、それは世間の思い込み、勝手なルールにすぎません。

たとえそうした人生設計がしっかりできていたとしても、その程度では成功者と呼ぶほどの成功は望めません。

本当に成功する人は、世間一般のルールではなく、自分の優先順位が決まっているものです。

人生において何を優先すべきか、それを考えてお金を使うので、目先の貯蓄額に一喜一憂することはありません。

優先順位で一番高いのが今の年収を上げることだとしたら、そのための時間やお金は惜しみませんが、それ以外の暇つぶしや娯楽や単なる安心や一時の快楽のためにかける時間やお金は一切省くはずです。

本やセミナー、交流会といったことにお金を使うのは、自分のスキルアップのために必要なものだから、省いてはいけません。

自分はまだ年収も低いし、お金がないから、少しでも貯蓄に回しておこう、と考えるのは、結果的には一生年収が上がらない人で終わる行為なのです。

収入の4割を投資する人だけが成功できる

お金がない人もある人も、年収がどれだけの人でも、**収入の4割を自己投資に使えるかどうかが、成功者になる境界線**になると私は考えています。

4割というのは、普通のマネープランニングの考え方からすると、かなり多い割合に感じると思います。たいていの成功本でも、自己投資の必要性はもちろん説いていますが、最初のうちは1割とか2割でいいから投資しましょう、といったところです。

確かに、年収300万円でカツカツで生活している人が、最初に自己投資に使えるとしたら、普通に生活費を除くと最高でも2割程度になるでしょう。

手取りが15万円しかないのに、そのうち2割で毎月3万円を使うだけで、ものすごい投資をしている人だと思うでしょう。

でも、それでは成功者にはなれないのです。

たとえ月収が10万円しかないとしても、そのうち4万円を毎月惜しみなく自己投資に使える人だけが、本当に成功することができるのです。

4万円使って残り6万円でどうやって生活ができるのか、と思うかもしれませんが、確かにこれでは家賃などは払えませんから、実家に帰るなりなんなり、どんな手を使ってでも固定費がかからない生活をして、**収入の4割の自己投資を死守**してください。

それだけのことをしないと、本当に年収を上げる、将来成功者になる、という覚悟は生まれません。

今は苦しいから、月収が12万円になったら1万円投資に使うお金を増やそう、など と思っている人は、一生本気で成功を目指さないでしょう。

年収が1000万円になるまでは、投資の割合をどれだけ増やしていくかが勝負です。余裕が出てきたら、4割以上投資にまわしてもいいでしょう。

ともかく、最低4割はコツコツ投資していくことで、あるときから収入がボンと倍になるときが来ます。

貯蓄は死に金です。成功もしていない人が、お金を自己投資に回さず貯蓄したり、一時的楽しみのための浪費に回すのは、自殺行為といえるでしょう。貯蓄をしたいなら、成功してからすればいいのです。

安心のために貯蓄とか保険にも少しはお金を回しておこう、と考えるのは、成功できないかもしれないと自分を疑っている証拠。**自分で自分を信じていないのに成功できるはずもありません。**

逆に言うと、自分は成功できないと思ったなら、自己投資などせずに貯蓄しておくことです。

その順序が逆で、まずお金をためて、たまったらそのお金で○○しよう、と考える人は、絶対に成功できないと思った方がいいでしょう。


さて、これで最後のレッスンも終わりです。

お金の整理の仕方、使い方から貯め方まで、成功者になるならどうするべきかを率直にお伝えしましたが、これを実践できる人だけが豊かな生活を手にします。

最後のレッスンは少し難しかったかもしれませんが、全体のレッスンはビジネスパーソンとしては絶対に役立つものですから、ぜひこの2週間のあとも欠かさず繰り返して**習慣化**してください。

また本書のタイトルでは、あなたの1日を3時間増やすとなっていますが、本文中で5時間増やす設定にしてある理由は、5時間増やそうと実践することで、実際に3時間ぐらいは増えるようになるからです。そして、本書を何度も繰り返し実践することで、いずれは5時間増やすのが可能であることを伝えたかったのです。

では、皆さんがこれらのレッスンを通して、頭がすっきり整理されて、大事な時間を生み出し、素晴らしい成果を出す人として活躍されることを祈っています。

自己投資に目覚め
どんどん成長して
成功者になっていく
Fくん。
給料アップ
スキルアップ
ゴール
経済的自由・時間的自由

「1時間の浪費を何とも思わない人は、まだ人生の価値を発見してはいない」

チャールズ・ダーウィン

14日間のプログラムを実践したあなたはすでに人生の価値を発見しているかもしれません……。

あとがき

「ママは何をやらせても早いよね」

「っていうか早すぎるよ」

双子の娘が6歳の時、口々に私に言った言葉です。


昔、「ママの手は魔法の手、何でも出来ちゃう不思議な手」というCMソングがありましたが、子供にとって母親のすることは、何でも魔法のように見えるものです。しかし、双子の娘が感じた「母の早さ」は、子供ならではの感覚ではありませんでした。


私は子供の頃、学校で何か始めようとする時に、まだ誰一人始めていないうちに一人だけ終わらせている変な人、というポジションでした。

今でも私が30分で終わることは、スタッフなら2週間はかかるでしょうし、それでも精一杯早くやったと言うでしょう。

「もう終わったの!?」

「いつやったの⁉」

「いつ寝てるの⁉」

「何で私が始めてもないのにもう終わってるわけ⁉」

「今一緒にいてずっとしゃべってたのに、いつやったの⁉」

今まで幾度となく、そう聞かれてきました。

その度に「私は魔法使いだから、杖ひと振りで何でもできちゃうの～」と茶化してきました。

しかし当然ですが、人より段違いに速いスピードで、仕事や勉強を処理するためのルールは存在します。ただ、みんな知らないだけなのです。

ルールがあるというタネ明かしさえしなければ、私はみんなに「すごい人」だと勘違いしてもらえるわけですが、実際には人より能力が高いわけでも、特別なスキルがあるわけでもありません。単に、時間を効率よく使うためのルールを発見してしまっただけにすぎません。

それは私が、幼少期から人一倍の怠け者で、やりたくない事をなんとかやらずに済ませる方法はないか？　どうしてもやらねばならないのであればそれを瞬時に終わらせて、好きなことだけして生きていく事はできないか？　と真剣に何万時間も頭を捻り続けた結果、たまたま発見できただけなのです。

みんなは子供ながらに真面目なので、「やりたくない事もやらなければならない」と納得していて、どうしてもやらずに済ませたいなどというワガママな考えも持たないし、そんな方法があるかもしれないなどという発想も持ちませんでした。

ところが私は、こうしたいと思ったらそうせずにはいられないワガママです。だから、どんな手を使ってでも、やりたくない事に1日のほとんどを費やす生活から、抜け出したかったのです。

こうして試行錯誤した末、子供ながらに、嫌なことを瞬時に終わらせる（または瞬時に終わったかに見える）魔法のルールを発見してしまい、興奮し、実践し、改善し、友達の前でやってみせ、驚かれるのを見ては、ニヤリとしていました。

「嫌なものは嫌なのよ！」が、幼稚園生の頃の私の口癖でした。しかし、ただ嫌だと言って通用するはずもありません。でも、通用しないからといって諦める私ではありません。大人になってからも、嫌なことに多大な時間を費やすのはどうしても嫌で、どうしても好きなことだけして暮らしていきたかったのです。

その、ちょっと普通じゃないくらいのワガママな性格から生まれたのが、隙間時間を使って1日を3時間増やすための魔法のルールでした。

私はこのルールを、今まで予備校生やカルチャーセンターの生徒、オンライン講座の受講生、セミナー参加者という一部の人たちだけに、お伝えしてきました。すると、不思議なことに私のルールのほんの一部を実践してもらうだけで、驚くほどの成果が出たのです。

とはいえ、習慣化させるためには時間がかかります。一時的に驚異的パフォーマンスを上げるようになった生徒たちも、私の授業を離れると、世の中の平均に戻ってしまい、それをとても残念に思っていました。

ですから一度じっくりと時間をかけてこの方法を伝授する講座か、合宿セミナーを開催して、完全に習慣化するまで魔法のルールをマスターしてほしい、と考えていたところ、幸運にも本書のお話をいただいたのです。

私が「魔法使いに見えるくらいのスピード」で、仕事や勉強など、普通の人が楽しいと思わない、できればやりたくないと思っている作業を終わらせ、本当にやりたいこと、楽しいこと、お金を生み出すことに、のんびりと時間をかけられるのは、ある一定のルールに従って瞬時に雑務を終えていたからです。だからこそ自宅で双子の育児をしながら、毎年3億円もの売り上げを出すことができるのです。

この本で初めて、私の真髄ともいえる「1日3時間増える」スピードアップのルールを公開できたことを大変うれしく思います。

ただ読んで終わりではなく、実践していただき、習慣化させ、あなたの大事な時間を、より大事なことのためにお使いいただければ幸いです。

どうしても本を読んだだけでは習慣化できない方のために、本書をお読みくださった方限定で、本書を実践するための講座を無料でご提供させていただきます。

あなたの1日を3時間増やす「超整理術」講座 http://aa6.jp/3/2/

こちらのURLより、ぜひご受講ください。

1日3時間節約し、好きなことに時間を使えるようになって、人生に輝きを取り戻したあなたと直接お会いできる日がくることを心待ちにしています。

最後になりましたが、今回このように書籍という形で私の想いを伝えることができたのは、私ひとりの力ではありません。

日頃から私のスクールを受講していただいている生徒の皆様、セミナーに参加していただいている皆様、日々支えてくれるスタッフの皆様、また本書制作にご尽力いただきました皆様、すべての方々に心から感謝致します。ありがとうございました。

シビスアカデミー学長　高嶋美里

2014年2月

【著者プロフィール】
高嶋美里（たかしま・みさと）

遊雅セレブリティ株式会社 代表取締役
シビスアカデミー学長

幼少時代から小説や絵や作曲などの創作が好きで、その時間を捻出するために、1日が36時間になる方法を子供ながらに真面目に研究。幼稚園や学校など拘束される時間の隙間で、いかに効率よくやりたくない事を終わらせるかを考え抜き、小学校4年生の頃には、宿題も予習復習もすべて学校にいる間に終わらせ、先生にも親にも文句を言わせない成績を保ちながら、ゆっくり小説を書いたり、本を読むことに専念できるようになる。さらに時間効率を追求するために、身の回りの整理や行動動線の改善によるスピードアップ法を発明し、毎日2時間以上、通算3000冊にも及ぶ漫画を読みながらも早稲田大学理工学部数学科に合格。卒業後は、時間と収益の効率を最大化するため、大手予備校数学講師に。整理術を取り入れた独自の教育法で、生徒のモチベーションと偏差値を短期間に引き上げ、半年で年収も3倍になるが、体調を崩して予備校を退職。その後、虚弱体質でも自宅で完結できるウェブデザイナーという時流に乗った職業で、在宅月収200万円になるも、不妊治療の末、双子を妊娠した途端、双子がいたら仕事は無理だとクライアントから仕事を断られるようになる。育児と仕事の両立が難しい現代日本社会の現実に直面し、病弱でも、育児中でも、通勤なしで成果を上げられ、初期費用のかからない起業ネタを模索。一方、生まれた双子の一人が重度の心臓病であったため、億単位の手術費を稼ぐためにも本気でビジネスに取り組む決心をした矢先、2005年にインターネットを使ったビジネスに出会う。翌年、幼い子供の育児と心臓病の看護をしながら、隙間時間にインターネットを駆使して月収5000万円に届いたのを機に法人化。以来8年間、育児をしながら在宅で年3億円ほど売り上げている。2013年、自身が運営するオンラインスクール「シビスアカデミー」が通信制高校と連携し、日本初、インターネットビジネスを学んで高校卒業資格を取得できるように。これにより、不登校やいじめにあった子供たちやその親などのために、成功できる道筋を作りだし、支援活動を行い、大きな成果を出している。著書に『「今すぐ」やれば幸運体質！』（同文舘出版）、『子育て・在宅で3億稼ぐ主婦の成功法則』（幻冬舎）などがある。

シビスアカデミーHP　https://www.cibs.jp/
高嶋美里のポッドキャスト　http://takashima-misato.com/
1日3時間増やす「超整理術」講座（無料）http://aa6.jp/3/2/
インターネットビジネス導入講座（無料）http://url.cibs.jp/3/p2/

この本に関するお問い合わせ、感想などは下記まで
メールアドレス：3@cibs.jp

角川フォレスタ
KADOKAWA

あなたの1日《にち》を3時間《じかん》増《ふ》やす「超整理術《ちょうせいりじゅつ》」

2014年2月25日　初版発行
2014年3月25日　再版発行

著　者　高嶋《たかしま》 美里《みさと》
発行者　郡司　聡
発行所　株式会社 KADOKAWA
http://www.kadokawa.co.jp/
編　集　角川学芸出版
東京都千代田区富士見2-13-3　〒102-8177
http://www.kadokawagakugei.com/
電話 03-5215-7831（編集）　03-3238-8521（営業）
印刷所　株式会社フクイン
製本所　株式会社フクイン
装　丁　菊池　祐
本文イラスト　井原　裕士
DTP組版　野中　賢（株式会社システムタンク）

ISBN978-4-04-653948-9 C0030